*Coragem
para se entregar*

Tommy Hellsten

Traduzido e adaptado do finlandês para o inglês
por Timo Luhtanen

Coragem para se entregar

Tradução para o português
Claudia Gerpe Duarte

BestSeller

CIP-BRASIL. CATALOGAÇÃO-NA-FONTE
SINDICATO NACIONAL DOS EDITORES DE LIVROS, RJ.

H423c Hellsten, Tommy
Coragem para se entregar: aceite suas fraquezas e transforme sua vida / Tommy Hellsten; traduzido e adaptado do inglês para o finlandês por Timo Luhtanen; tradução para o português: Claudia Gerpe Duarte. – Rio de Janeiro: Best*Seller*, 2010.

Tradução de: Courage to surrender
ISBN 978-85-7684-274-3

1. Vida espiritual. 2. Conduta. I. Luhtanen, Timo. II. Título. III. Título: aceite suas fraquezas e transforme sua vida.

09-1718

CDD: 248.4
CDU: 248

Texto revisado segundo o novo Acordo Ortográfico da Língua Portuguesa.

Título original norte-americano
COURAGE TO SURRENDER
Copyright © 2008 by Tommy Hellsten
Copyright da tradução em inglês © 2008 Tommy Hellsten and Timo Luhtanen
Copyright da tradução © 2008 by Editora Best Seller Ltda.

Capa: Simone Villas Boas
Editoração eletrônica: Abreu's System
Imagem de capa: Fotolia

Todos os direitos reservados. Proibida a reprodução, no todo ou em parte, sem autorização prévia por escrito da editora, sejam quais forem os meios empregados.

Direitos exclusivos de publicação em língua portuguesa para o Brasil adquiridos pela
EDITORA BEST SELLER LTDA.
Rua Argentina, 171 – São Cristóvão
Rio de Janeiro, RJ – 20921-380
que se reserva a propriedade literária desta tradução.

Impresso no Brasil

ISBN 978-85-7684-274-3

PEDIDOS PELO REEMBOLSO POSTAL
Caixa Postal 23.052
Rio de Janeiro, RJ – 20922-970

SUMÁRIO

Agradecimentos 7
Ao leitor 9
Introdução: Doente com a força 13

1 ▪ A jornada começa quando você para 23
2 ▪ A verdadeira força só pode ser encontrada na fraqueza 31
3 ▪ Se você busca a segurança, viva perigosamente 49
4 ▪ Aquilo de que você desiste lhe será dado 85
5 ▪ Quanto menos você faz, mais você realiza 113
6 ▪ Só podemos estar juntos se estivermos sozinhos 145
7 ▪ Só podemos estar sozinhos se estivermos juntos 163
8 ▪ Se você busca a eternidade, viva o aqui e agora 177

O autor 187

AGRADECIMENTOS

Escrevi a versão original deste livro em meio a mais profunda crise da minha vida: depois de 25 anos, eu terminara um casamento que parecia perfeito, mas que era desprovido de amor. Escrevi este livro em um apartamento alugado, mobiliado apenas com uma cama, uma mesa na cozinha e algumas cadeiras. *Aquilo de que você desiste lhe será dado* era uma de minhas mensagens fundamentais, e eu era uma cobaia para aquilo que pregava. Eu me tornara uma figura pública, e tanto minha credibilidade quanto minha carreira estavam em jogo. Arriscara tudo para descobrir se a vida nos conduz quando decidimos fazer o que sabemos ser certo na parte mais profunda de nosso ser, mesmo que essa decisão possa parecer irracional, perigosa e completamente louca. Quando a situação era a pior possível, senti que apenas uma única célula no meu cérebro acreditava que eu tinha feito a coisa certa; afinal, eu também causara à minha mulher, aos meus filhos e a muitas outras pessoas a pior crise da vida deles.

Isso aconteceu há oito anos. Agora sei que o divórcio foi a melhor coisa que poderia nos ter acontecido. Hoje, meus filhos me agradecem pela coragem que tive; na opinião deles, deveríamos nos ter divorciado bem antes. Gostaria de agradecer a todos que me apoiaram quando eu menos merecia, porém, mais precisava de apoio. Eu estava destruído e a minha vida, devastada, mas amigos e parentes nunca deixaram de acreditar em mim. Sem esse estímulo, eu não teria sido capaz de terminar este livro.

Estendo meus mais calorosos agradecimentos a Carita, que nunca saiu do meu lado em circunstâncias nas quais muitos não teriam hesitado em me abandonar. Mais tarde ela se tornaria a minha amada esposa.

Quero agradecer também, do fundo do coração, ao tradutor Timo Luhtanen, por ter tornado realidade um dos meus maiores sonhos. Sem seu profissionalismo e sua persistência este livro jamais teria encontrado espaço no mercado assustadoramente competitivo dos Estados Unidos.

Timo gostaria de agradecer à editora Kristi Hein e à copidesque Nina K. Pettis por anos de cooperação e amizade inspiradora, bem como à copidesque Shirley Coe, por detalhes finais acrescentados ao original.

Nossos sinceros agradecimentos a Elizabeth Evans e Kimberley Cameron, da agência literária Reece Halsey; a Whitney Lee, da Fielding Agency; e a Jo Ann Deck, Julie Bennett e Brie Mazurek, da Celestial Arts. A edição norte-americana não poderia ter encontrado um lar melhor.

AO LEITOR

Quando comecei a escrever este livro não pretendia que ele se tornasse um resumo e uma síntese de todos os meus livros anteriores. Escrevi meu primeiro livro há 18 anos, e levei todo esse tempo para conseguir obter um profundo entendimento dos temas examinados nesta obra.

    Tenho passado por um intenso processo de crescimento pessoal, explorando, sobretudo, a conexão entre o que descobri no meu trabalho, como psicoterapeuta, e o que a tradição judaico-cristã ensina a respeito da humanidade há milhares de anos. Quando iniciei esta caminhada, no final da década de 1970, fiquei frustrado com a igreja cristã e seus tradicionais ensinamentos sobre a vida e a humanidade. Senti que não haviam me proporcionado nenhuma ajuda em um momento de grande angústia pessoal. Assim, abandonei a fé e a espiritualidade, e voltei-me para meu interior, enfrentando o passado pessoal que sempre temera e evitara. Comecei a encarar minha dor, minha tristeza e tudo o que eu deixara para trás na infância.

Na minha jornada, voltei a encontrar o que eu havia abandonado: a espiritualidade e a fé. E agora, para minha surpresa, a espiritualidade se harmonizava comigo. Gradualmente, comecei a compreender que quando buscara a ajuda da fé, estava na verdade fugindo de mim mesmo. Usara a fé e a espiritualidade como um refúgio, esperando não precisar enfrentar todas as coisas que temia interiormente. Em outras palavras: eu tentara saltar para o colo de Deus e fechar os olhos para a realidade. Por sorte, minha dor se tornara tão intensa que até mesmo a fé não pôde me proteger dela.

Quando escolhi o caminho para a autodescoberta, pensei que havia abandonado Deus. No entanto, tudo o que realmente abandonara fora minha interpretação errônea de Deus. Ao enfrentar a mim mesmo, também fiquei frente a frente com a realidade. Ela está dentro de mim, que é onde Deus vive. Quando compreendi isso, minha fé se tornou bem mais firme.

Este livro é uma simples tentativa de descrever o que significa essa descoberta — de revelar nossa herança espiritual, usando a linguagem na qual essas antigas verdades foram lentamente se revelando para mim. Convido você a participar do processo no qual estou envolvido há mais de 30 anos. É uma jornada que pode abrir nossos olhos para a enorme riqueza da fé cristã.

Nossa cultura ocultou essa riqueza atrás do dogma religioso e da linguagem santimonial. Por isso, faço um convite particular aos leitores ressentidos com os conceitos e as proclamações cristãs — aqueles para os quais, por esse motivo, a verdadeira riqueza desses ensinamentos permanece fora de alcance. Tentei falar sobre essas verdades com minhas próprias palavras, sem distorcer a mensagem fundamental.

Como seres humanos, só podemos encontrar nossa verdadeira vida e identidade depois que nos conscientizamos de que alguém nos ama. Não podemos encontrar esse milagre de amor enquanto não admitimos nossa fraqueza e nossa impotência. Não existem atalhos. É por esse motivo que escrevo a respeito do paradoxo, que caracteriza a essência do cristianismo. Ele é o pequeno portão, o caminho estreito que conduz à vida.

Espero que você não tenha pressa para ler este livro. Não é importante que ele seja lido. É importante que este livro leia você.

Tommy Hellsten

INTRODUÇÃO
Doente com a força

TUDO PARECIA PERFEITO, no início. Um rapaz bonito, com os cabelos louros e ondulados caindo na testa. Uma linda moça, de cabelos castanhos, admirada por todos os rapazes. Creio que meu pai se orgulhava de ter conquistado o coração da jovem mais bonita da cidade. Talvez minha mãe, aos 19 anos, também sentisse orgulho de ter impressionado o guitarrista louro da banda, um homem com um sorriso melancólico e olhos ardentes. A vida era repleta de promessas.

Então, essa bela jovem ficou grávida. Em uma noite de verão, ela se rendeu àquele olhar preocupado e, de repente, tudo mudou: o romance se transformou em tragédia, apanhando os dois em uma armadilha. A moça ainda queria viver sua juventude de uma maneira despreocupada, conquistando corações e deleitando-se com a própria beleza. No entanto, cedo demais, rápido demais, a vida os envolveu.

A mãe da jovem tinha a fama de ser rígida, por isso falar com ela a respeito do bebê estava fora de questão.

O rapaz e a moça decidiram se casar o mais rápido possível, antes que alguém pudesse desconfiar da situação.

Minha chegada a este mundo foi um acidente, a atordoante e vergonhosa consequência de um prazer de verão. Sei disso porque meu pai tocou certa vez no assunto durante uma conversa — e em seguida passou a falar das memórias do Exército, deixando-me estupefato com a notícia.

No entanto, apesar de tudo, os recém-casados construíram uma bela casa e se alegraram com o bebê. Eu soube depois que minha avó se apressara em orgulhosamente apresentar o neto aos vizinhos. Meu pai era fotógrafo, e centenas de fotografias mostram meus pais comigo, encantados com o menino que tinham gerado. Nos velhos filmes da família, vejo cenas do que parece ser uma família ideal dos anos 1950: meu pai, alto e bonito, de gravata e chapéu de feltro cinza; minha mãe, uma jovem encantadora e, ao que tudo indica, vestida na última moda, ao lado de um carrinho de bebê. Ambos parecem bem e felizes.

O relacionamento dos meus pais, no entanto, era uma bomba-relógio; eles careciam do que era necessário para fazer a transição da paixão para o verdadeiro amor. Minha mãe era tão jovem que simplesmente não conseguia desistir do prazer de chamar atenção; ela adorava o fascínio que exercia sobre os homens, e o usava a seu favor. Meu pai ficava com ciúme, e começou a beber. Eles passaram a discutir com mais frequência, incapazes de curtir seu relacionamento. No início, meu pai talvez tenha usado o álcool socialmente e com moderação, mas em poucos anos o hábito ficou fora de controle. Ele talvez também estivesse retaliando, por causa das paqueras de minha mãe. Pouco a pouco, o homem da família deixou de existir.

Meus pais tinham um pequeno negócio, mas bem-sucedido, que meu pai havia montado antes de conhecer minha mãe. Quando ele foi pego pela primeira vez dirigindo embriagado e condenado a três meses de prisão, minha mãe assumiu uma responsabilidade maior, e sua posição tanto no negócio quanto na família se fortaleceu. A importância do meu pai diminuiu, o que o fez beber ainda mais; entretanto, embora estivesse constantemente bêbado, sempre comparecia ao trabalho, mas logo a cidade inteira tomou conhecimento do problema. Embora achássemos que nosso problema não era conhecido, éramos na verdade referidos como a família alcoólatra.

Meu pai permaneceu se embebedando durante 20 anos, com duas exceções: quando foi condenado por dirigir embriagado e quando foi internado para se tratar.

Vejo a família de minha infância como um lar no qual ninguém está presente; meu pai e minha mãe estavam presentes fisicamente, mas não emocionalmente. Meus pais estavam de tal modo absorvidos por sua angústia e por suas necessidades não satisfeitas que nada tinham a oferecer aos filhos; afinal, não podemos dar o que não temos. Eles precisavam de ajuda, mas ninguém na nossa família a pediria. O mais importante era manter a fachada de que tudo estava bem; tudo tinha de *parecer* bem, porque nada *estava* bem. A vergonha precisava ser ocultada a todo custo. Lembro-me que certa vez, quando eu tinha 14 anos e estava no cinema esperando que o filme começasse, alguns homens sentados atrás de mim começaram a falar a respeito das asneiras cometidas por um alcoólatra idiota. Fiquei mortificado quando me dei conta de que se referiam ao meu pai.

Com o passar dos anos, a vergonha tornou-se membro de nossa família. Nunca falávamos sobre esse novo membro; jamais deixávamos a dor, a raiva e o constrangimento que ele nos causava vir à tona. Eu não conseguia enxergar minha própria solidão, tristeza e vergonha porque ninguém mais as via. Até mesmo aprendi a me esconder atrás de comentários sarcásticos a respeito do hábito de meu pai. Nós nos adaptamos à vergonha, e ela tornou-se parte da nossa vida diária, exigindo cada vez mais espaço. Era como se um hipopótamo, de repente, tivesse se instalado em nossa sala de estar. Essa imagem revela tanto a magnitude quanto o cruel contrassenso da vergonha; precisávamos tomar medidas cada vez mais complexas para fingir que ela não estava presente.

A vergonha floresce em qualquer lugar onde o amor perde terreno. Na minha família, cada um de nós estava isolado dos outros, dentro das mesmas quatro paredes, incapazes de revelar nosso eu mais íntimo uns para os outros. Perdemos o contato, a comunicação, a comunhão. Desse modo, a personalidade de cada um foi delimitada pela vergonha, que também estabeleceu a base de minha identidade. Minhas necessidades e meus sentimentos estavam baseados na vergonha.

Eu perdera meu pai, e minha mãe perdera o marido para o alcoolismo, e ela própria estava prestes a desaparecer, já que tinha de arcar com toda a responsabilidade de administrar uma família. Ela se fortaleceu, mas sua força se baseava em uma negação da fraqueza; em outras palavras, ela ficou doente com a força. Ao mesmo tempo, minha mãe, instintivamente, procurou apoio e consolo, e os encontrou em mim, o filho mais velho. Começou a me fazer confidências, a conversar comigo, a precisar de mim. Minha mãe não mais me via como uma criança; só me enxergava através das suas necessidades não satisfeitas. Minha infância terminou, e fiquei doente devido à mesma força.

O que restou foi uma família sem pais, na qual cada membro precisava sobreviver por intermédio dos recursos que conseguisse encontrar. Minha mãe e eu nos tornamos aliados; juntos ridicularizávamos meu pai, o que era relativamente fácil, pois o comportamento dele não merecia exatamente respeito. Meu papel na família era compensar emocionalmente minha mãe pela falta de um marido. Eu permanecia atento e sintonizado com as necessidades dos outros. Eu a consolava e ouvia o que ela tinha a dizer, e depois conversava com meu pai a respeito do que ela queria que eu transmitisse a ele.

O único lugar tranquilo em nossa casa era o cômodo do aquecedor. Foi lá meu primeiro consultório. Com o sistema de aquecimento central zumbindo suavemente em segundo plano, eu me envolvia no que acreditava ser profundas conversas com meu pai ou com minha mãe. Meu objetivo era ajudar meu pai a parar de beber e salvar o casamento deles. Naquele aposento, tornei-me o orientador psicológico da família. Ironicamente, meu pai costumava esconder suas garrafas no mesmo lugar, de modo que quanto mais problemas ele relatava no cômodo do aquecedor, mais bêbado ficava.

Meu trabalho como orientador psicológico se baseava na sabedoria e experiência de um jovem de 15 anos. Certa vez, quando minha tia me perguntou o que eu queria ser quando crescesse, respondi que queria ser psiquiatra. Na verdade, eu já era. Pegava uma infinidade de livros da biblioteca e tentava estudar Freud, Erich Fromm e outros da mesma área, embora não entendesse muita coisa; afinal de contas, era uma literatura especializada. Também tomei conhecimento da filosofia chinesa, com a orientação de Lin Yutang. (Lembro-me de ter lido que pela manhã devemos deixar os pés descansarem tranquilamente em um tapete felpudo antes de enfrentar os desafios de um novo dia.)

Quando eu tinha 17 anos, meus pais chegaram a uma conclusão inevitável: o divórcio. Naqueles dias, essa era uma questão ainda mais complicada do que atualmente (se é que isso é possível), de modo que meus pais se aconselharam comigo. Eu achava que eles deveriam se divorciar? Lembro-me de ter respondido, depois de cuidadosa ponderação, que deveriam fazê-lo — e foi o que aconteceu, seis meses depois. A questão do alcoolismo nunca foi abordada. Pelo contrário; depois que a família desmoronou, minha mãe também se tornou alcoólatra. Dez anos após o divórcio, ela se suicidou.

Depois que minha família se desintegrou, onde quer que aportasse, começava a ajudar os outros, porque era o papel que eu aprendera a assumir em casa. Aos 19 anos, depois do serviço militar, comecei meus estudos, pensando que finalmente alcançaria a liberdade. Com o tempo, decidi me especializar em teologia, mas acabei trabalhando como orientador psicológico de alcoólatras no final da década de 1970. Eu ainda não tinha percebido que ao fazer essa escolha estava na verdade procurando, de forma canhestra, ajuda para mim mesmo. Mal sabia eu que carregava dentro de mim as minhas necessidades negligenciadas da infância — não resolvidas e, portanto, imperiosas.

Por intermédio do meu trabalho entrei em contato com o Modelo de Minnesota para o tratamento do vício, bem como o programa de 12 passos. E quando tomei conhecimento do movimento de apoio para filhos adultos de alcoólatras — na época, uma iniciativa recente —, senti que realmente tinha encontrado o que queria. Isso deu início a um poderoso processo interior, o qual se transformou em uma jornada em direção ao meu passado, às origens das minhas feridas e da minha mágoa, rumo à minha verdadeira identidade. Até então eu sempre fora apenas o que os outros precisavam, mas por intermédio desse processo nasci como aquele que sou.

A dor emocional não é uma doença incurável, mas, no meu caso, recuperar-me da infância levou anos de um trabalho árduo. Depois de atuar desde o início da adolescência como uma espécie de terapeuta familiar, gradualmente perdera de vista meu verdadeiro eu, definindo-me em função das necessidades dos outros. Eu não podia precisar de alguém ou confiar em alguma pessoa, nem para ser fraco, e essa estratégia de sobrevivência me impediu de enfrentar toda a dor que havia sentido. Somente mais tarde comecei a compreender como isso havia me afetado. Senti que essa dor era um obstáculo para uma vida de qualidade, obstáculo que eu teria de derrubar.

Reuni a coragem necessária para olhar em meus próprios olhos no espelho — e não vi ninguém ali. Compreendi que embora estivesse com mais de 30 anos eu nunca realmente vivera. Apenas sobrevivera. Pouco a pouco, atrás das dores de minha infância, comecei a perceber o que estivera procurando: minha identidade. Na minha família de origem, eu nunca fora visto como a pessoa que realmente era, de modo que cresci para ser um outro indivíduo. Por trás deste, havia uma pessoa cuja existência ninguém havia observado; uma pessoa oprimida pela dor, pelo medo e pela insegurança, que teve de assumir muito cedo uma responsabilidade grande demais. Descobrira também uma quantidade enorme de raiva sem escoadouro, e uma enorme solidão.

Com a ajuda de uma longa terapia, grupos de autoajuda e psicodrama, minha personalidade finalmente veio à tona, por intermédio de meu arraigado sentimento de vergonha. Compreendi que eu não era uma pessoa má; passara a vida inteira *sentindo* que era mau, e, portanto, perdi toda a minha infância e um pouco além dela.

Encontrei a ajuda que procurava por meio da carreira que escolhi, mas não abandonei meu trabalho como terapeuta. Deixei de trabalhar para adquirir uma identidade e passei a trabalhar porque finalmente tinha uma identidade e era capaz de ver mais claramente as outras pessoas através de minha própria experiência, do processo por intermédio do qual eu me ligara novamente à minha verdadeira identidade.

Durante esse processo, também comecei a escrever; hoje, já escrevi 17 livros. Além disso, há 20 anos venho fazendo palestras e seminários em diferentes países.

Mantenho há 17 anos um consultório particular — que não é mais em um cômodo de aquecimento de casa — onde convivo com muitas centenas de pessoas como eu, que perderam a infância e traziam consigo uma imensa vergonha. Fui abençoado com a honra de participar da jornada delas, como guia e companheiro de viagem.

Este livro é um best seller em meu país, bem como o primeiro que escrevi, *Hippo in the Living Room* [Um hipopótamo na sala de estar] — e não sei nem mesmo como começar a descrever minha surpresa com isso. Depois de meu primeiro livro ter sido publicado, logo começaram a me chamar de "o terapeuta mais importante do país", e me tornei uma pessoa pública, o que não é fácil para alguém que um dia foi uma pessoa ligada à vergonha. Entretanto, consegui resistir e até mesmo aprendi a gostar da sensação, e a publicidade tornou-se parte de meu trabalho, embora eu sempre preferisse pensar que estava apenas escrevendo sobre minha vida. Agora percebo que o tempo todo devo também ter escrito e falado a respeito de uma experiência comum: das feridas que reconhecemos em nós mesmos e nos outros, mas também da grande alegria que compartilhamos em nossa jornada de descoberta.

Fico feliz ao dizer que hoje estou muito bem: casado, pela segunda vez, e tenho três filhos maravilhosos do meu primeiro casamento. O mais velho, recentemente, passou a participar, comigo e com minha esposa, do negócio da nossa família, e meus dois outros filhos parecem estar seguindo os passos dele. A jornada tem sido longa, mas o que um dia foi minha maior fraqueza parece ter se tornado minha maior força. Uso minha fraqueza para agradecer por tudo; ela tem sido meu maior tesouro e minha maior bênção.

É por esse motivo que escrevo tanto a respeito da fraqueza. É por isso que escrevo que a verdadeira força começa com o reconhecimento da fraqueza; somos capazes de crescer apenas na medida em que estamos dispostos a enfrentá-la. Na realidade, o verdadeiro crescimento significa, efetivamente, tornar-nos menores, mais profundamente conscientes de nossa impotência. A humildade é fundamental para esse crescimento. Quando enfrentamos nossa fraqueza, também compreendemos que não podemos sobreviver sozinhos; precisamos uns dos outros; precisamos da comunhão. A fraqueza nos abre para o amor, para o que mais precisamos como seres humanos. E quando precisamos de amor, precisamos de Deus, que nos ama, não apesar de nossa fraqueza, mas por causa dela. Deus é o amor que sempre respeita nosso eu mais íntimo. Deus é o amor que cria cada um de nós como um ser único.

CAPÍTULO 1
A jornada começa quando você para

Alguém muito sábio disse que a vida é para ser vivida, não compreendida, e isso soa como verdade para mim. Primeiro, você precisa viver; somente então pode tentar entender uma pequena parte de sua experiência. Se você tentar compreender a vida, em vez de vivê-la, a estará avaliando intelectualmente a partir de uma distância segura, e sua perda será dupla. Primeiro: quando se apoia somente em seu conhecimento, você vê a vida através de uma lente distorcida, que altera sua percepção e pode desviá-lo do caminho. Sua capacidade de análise torna-se, assim, um obstáculo à vida. Segundo: quando você se refugia da vida em vez de participar dela, permanece um espectador que nunca põe a mão na massa.

Nesta vida, *o que se espera* que você ponha a mão na massa, que suje suas unhas. Espera-se que você falhe, se perca e fique confuso. Você não deve usar o raciocínio para regular, repartir ou filtrar a vida. Ela é um fenômeno muito mais amplo do que a mente humana. O intelecto é seu escravo, não seu senhor; ele precisa encontrar o seu lugar em um contexto muito maior.

Refletir não é a melhor forma de resolver as grandes questões da vida. Antes, é um modo de sobrevivência mais adequada para providenciar o pão de cada dia. Para esse tipo de estratégia prática, o intelecto cumpre sua função. Entretanto, diante dos grandes mistérios da vida — como as questões de amor, de sofrimento, de morte, de Deus, de identidade e do significado da existência —, você precisa deixar que ele recue elegantemente para um segundo plano e permaneça em silêncio. *Quem sou eu e o que devo pensar sobre você, ó vida? Qual é a verdade a respeito da vida e de mim mesmo?* Não podemos responder intelectualmente a estas perguntas. Necessitamos de outros métodos, outras ferramentas, outras abordagens.

Os paradoxos são irracionais

O profundo bom-senso e as verdades da vida são frequentemente paradoxais. Eles parecem irracionais e contraditórios, como se a vida proclamasse ser um mistério que não acata as leis do pensamento racional e da lógica. A vida, frequentemente, se manifesta como uma imponência absoluta que não admite ser controlada, nem mesmo pelo intelecto humano que cultuamos, com tanta insistência, como a obra mais milagrosa da criação.

Quando a verdade se revela sob a forma de um paradoxo, ela cria uma aparente contradição, uma impossibilidade. Jesus empregou esse artifício nos seus ensinamentos. Em resposta ao desejo de grandeza do homem, ele apresentou seu exato oposto: o serviço e a modéstia. Jesus disse: "Os últimos serão os primeiros, e os primeiros serão os últimos"; e depois se referiu à grandeza: "Quem dentre vós quiser se tornar grande, deverá ser vosso escravo."

Os ensinamentos de Jesus confundiam as pessoas. Ele perturbava e subvertia o modo de pensar habitual. Ele desconcertava os homens sábios e não se deixava capturar em divergências doutrinais. Recusando-se a fazer rodeios, enfrentava os presunçosos e convencidos com contradições.

O paradoxo é o jeito que a vida tem de nos mostrar que a verdade não pode ser controlada. Embora nosso intelecto possa ficar enfurecido e indignado quando ele o bloqueia completamente, a verdade permanece serenamente sem ser perturbada. Com suprema autoridade, a verdade se manifesta em opostos, e a tensão sempre está presente entre os opostos. A vida usa essa tensão para criar algo novo.

Devemos justificadamente encarar os paradoxos com admiração. Ele nos faz parar, possibilitando que fiquemos quietos e receptivos a um aprofundamento da nossa experiência. A tensão gerada por um paradoxo enfraquece o domínio controlador do intelecto. Assim sendo, não devemos nos esforçar para compreendê-lo; simplesmente devemos nos permitir prestar atenção a ele. Ouvir com atenção, ser, admirar-se e ser humilde são atitudes proveitosas diante de um paradoxo. "O vento sopra onde quer, e lhe ouves a voz, mas não sabes dizer de onde ele vem nem para onde vai." Jesus disse estas palavras referindo-se ao Espírito Santo, e elas também parecem adequar-se aos paradoxos: a sabedoria deles não pode ser limitada pela razão.

O paradoxo atua estimulando a insegurança e o autoquestionamento. Nosso intelecto oferece respostas prontas que parecem nos proteger do mal-estar que experimentamos quando buscamos a verdade; com esse falso conhecimento, nossa mente cria a ilusão do convencimento e da satisfação. O paradoxo não oferece um refúgio seguro. Ele o arrasta em uma jornada que pode ser desagradável, durante a qual você pode — ou talvez deva — se perder.

A sabedoria é o intelecto em uma forma refinada

Quando nosso intelecto encontra uma verdade contraditória, ele se depara com os próprios limites. Confuso e perplexo, ele não está mais no controle. Se nosso intelecto estiver disposto a ser humilde, se transformará em sabedoria. *A sabedoria é o intelecto em uma forma refinada — uma forma humilde.*

Quando nosso intelecto se vê diante de um paradoxo, a única abordagem correta é a humildade, pois ela conduz à sabedoria. Quando nosso intelecto se mostra humilde diante de um paradoxo, ele encontra um lugar legítimo. Não se coloca acima da vida e do crescimento pessoal, escolhendo, em vez disso, a colaboração. A pessoa sábia encontra a maneira correta de utilizar o intelecto; inversamente, a pessoa que usa o intelecto de forma inadequada não é muito sábia.

A pessoa humilde ouve mais do que fala, de modo que aprende mais rapidamente do que o orgulhoso. A pessoa orgulhosa não tem tempo para ouvir, pois está ocupada tentando convencer os outros de sua grandeza. Como não escuta, sua mente está fechada a novos pontos de vista. Quando somos humildes, não temos necessidade de impressionar os outros; sabemos muito bem quem somos. Livres para ouvir — e para aprender e descobrir coisas novas. No caminho em direção à sabedoria, obteremos, inevitavelmente, a capacidade de ouvir.

A verdadeira sabedoria encerra mais perguntas do que respostas

A sabedoria diz mais respeito a perguntas do que respostas. Os paradoxos nos confundem e desencadeiam perguntas, conduzindo-nos assim à sabedoria. As perguntas são dinâmicas; estão sempre nos empurrando na direção do desconhecido. Por conseguinte, a pessoa sábia passa mais tempo refletindo do que dando respostas. Aqueles que se apressam em dar respostas acham que já chegaram ao destino, embora a jornada não tenha nem mesmo começado. A pessoa sábia sabe que se encontra em uma missão que irá durar a vida inteira. Ela está constantemente em movimento, inspirada pelas maravilhas que encontra no caminho.

Os paradoxos incomodam aqueles que estão certos de possuírem as respostas. Para os que estão menos seguros, enfrentá-los é uma oportunidade de desfrutar um novo nível de aprendizado, que os levará mais longe do que se agarrar a fatos estabelecidos. Nesse nível, precisamos nos perder para chegar ao destino. O poeta sueco Tomas Tranströmer se expressa com belas palavras: "Nas profundezas da floresta existe uma clareira inesperada que só pode ser encontrada por alguém que tenha se perdido."

O entendimento de um paradoxo requer que estejamos abertos à possibilidade de nos perdermos, e para isso precisamos de coragem, pois o fato de nos perdermos nos desafia a admitir a insegurança. Quando Jesus ensina verdades contraditórias, ele nos convida a renunciar ao controle a vida. Ele está, de fato, nos atraindo para a eterna segurança que só podemos encontrar dentro de nós mesmos. Essa coragem de nos entregar exige um salto de fé. Precisamos abandonar as estruturas de segurança que tanto valorizamos, permitir que elas desmoronem, e acreditar que iremos encontrar a segurança por intermédio da insegurança.

Quando paramos, a jornada tem início

Este livro é uma modesta tentativa de descrever a antiga sabedoria contraditória da espiritualidade, que refletia a vida no nível mais profundo. Hoje, rompemos nossa conexão com aqueles que criaram essa sabedoria — que a criaram quando a necessidade dela ainda era compreendida —, e ao fazê-lo perdemos a ligação com o passado. Nós nos tornamos uma geração desprovida de profundidade, que venera a juventude, indiferente ao valor daqueles que viveram muito tempo. Quando perdemos a conexão com o passado, nos separamos da sabedoria que ele contém.

Vivemos apenas para o momento, como se cada dia fosse o último. Banimos a espiritualidade e a sabedoria do que é velho para os museus. A fim de viver no presente, permanecendo eternamente jovens, também fechamos os olhos para a morte. Fizemos o melhor que pudemos para vencer a morte: encarar a vida como algo interessante e divertido, não importa a maneira como a vivemos, pois acreditamos que viveremos para sempre. Se a vida começa a parecer vazia, nos ocupamos procurando mais distrações, sem perceber que ao negar a morte também nos afastamos do drama natural da vida. Redefinimos a vida como uma existência superficial e vazia. Com a morte fora de cena, a sabedoria e a experiência da vida tornam-se inúteis. É por isso que não mais compreendemos os misteriosos rituais que um dia foram chamados de sabedoria e espiritualidade.

As coisas que eu falo não são novas; são antigas verdades, bastante conhecidas daqueles que viveram antes de nós — não de todos, mas de muitos. Este livro é um convite a uma vida mais profunda, na qual tudo é verdadeiro e real. É um convite à descoberta da origem de nossa verdadeira identidade, onde Deus está dentro de nós.

Lutei durante anos com as antigas expressões, desgastadas pelo tempo: pecado, misericórdia, "Deus te ama", santidade, divindade, alma e assim por diante. Como muitas outras pessoas, ficava perplexo com essas palavras. Elas me deixavam frustrado, ressentido e com raiva, porque, embora eu percebesse que continham algo precioso, pareciam guardá-lo para si mesmas. No entanto, finalmente comecei a captar um vislumbre do que essas palavras poderiam significar. Apenas um relance, mas o suficiente para que pudesse dar continuidade à minha jornada de exploração e compartilhar com você o que aprendi.

A aventura nos espera nas profundezas da vida. Só poderemos participar dela se aprendermos a diminuir o ritmo, ficar mais calmos e parar completamente. O caminho em direção a uma vida significativa passa através da imobilidade e do silêncio, e aqui nos vemos diante do primeiro paradoxo deste livro: *A jornada começa quando você para.*

Este livro não é para ser lido de uma vez só. Espero que você não se apresse, parando para escutar e encontrar a própria profundidade; cada um de nós tem uma caixa de ressonância para a sabedoria e a profundidade. No momento certo, ela começará a ressoar. Minha esperança é que as ideias deste livro o façam diminuir o ritmo, relaxar e, finalmente, alcançar uma completa imobilidade para que um novo tipo de movimento possa ter início: o movimento descendente, bem profundo, tão profundo que lhe permita alcançar novas e estonteantes alturas. Talvez com a ajuda deste livro você comece a olhar para dentro, para uma escuridão interior que com o tempo ofusque com sua luminosidade.

CAPÍTULO 2
A verdadeira força só pode ser encontrada na fraqueza

A QUESTÃO DA FORÇA e da fraqueza permanece sem solução. Não sabemos exatamente como lidar com a fraqueza; escondemos nossa própria fraqueza e a evitamos nos outros, ao mesmo tempo em que admiramos a força em suas diferentes formas e nos esforçamos ansiosamente para obtê-la. Procuramos a força, pois achamos que somente os fortes conseguem o que precisam, ao passo que os fracos têm de se contentar com as sobras. Por não perceber valor na fraqueza, construímos uma cultura que se esforça para alcançar a força. E nós não apenas rejeitamos a fraqueza; com frequência, a desprezamos.

Entretanto, o que é exatamente a fraqueza e o que é força? A pessoa que parece forte é realmente forte ou usa a força para encobrir a fraqueza? Em outras palavras, existe um tipo de força que não é saudável? É possível ficar doente com essa força? Estará nossa cultura pegando essa doença à medida que perde o contato com o valor da fraqueza?

Existem pessoas fortes superiores e pessoas fracas inferiores — ou somos todos, na verdade, fracos? Ou fortes? O que é normal, o que não é? A fraqueza torna uma pessoa má ou imperfeita? A força é definida pela falta de fraqueza, ou a negação da fraqueza conduz à força? Ou será que a verdadeira força tem origem na fraqueza? Será que aqueles que estão em harmonia com a fraqueza são fortes?

E o que dizer da fraqueza? Significa nos rebaixar? Sou humilde se não fizer alarde de mim mesmo? Essa humildade é uma característica da qual podemos nos conscientizar? É possível alcançar a humildade esforçando-nos para isso? É vantajoso ser humilde? Em outras palavras, a humildade é um "bom negócio", tem valor de mercado, nos faz ficar fortes? E qual a diferença entre a autocomiseração e o reconhecimento sincero da fraqueza — existe, de fato, uma diferença? É possível esconder-nos atrás da fraqueza para evitar assumir a responsabilidade pela própria vida e pelo crescimento pessoal?

Essas perguntas nos deixam perplexos, e fazem parte de nosso dia a dia mesmo que não estejamos lidando com elas de forma consciente. Está bem claro que a força e a fraqueza são opostos repletos da tensão dinâmica característica de um paradoxo. Poderia essa tensão ser um sinal da misteriosa sabedoria também encontrada nele? Se nos conscientizarmos dessa sabedoria, ela nos conduzirá a um entendimento mais profundo da vida e, por conseguinte, a uma vida mais profunda?

Humildade: a fraqueza contém força

A questão da força e da fraqueza é uma das mais importantes da vida, se não a mais importante. Ela tem a ver com nossa identidade fundamental, pois esse par de opostos nos conduz à questão do nosso eu interior e exterior. Em uma cultura que considera a fraqueza desprezível e vergonhosa, sentimos que precisamos pelo menos fingir que somos fortes. Nós nos esforçamos arduamente para assumir uma postura que esconda nossa fraqueza. Quanto maior a fraqueza interior que sentimos, mais convincente precisa ser nosso disfarce. Podemos muito bem concluir, portanto, que quanto mais forte uma pessoa parece, maior a fraqueza que ela oculta. Esse tipo de força, desenvolvida para dissimular a fraqueza, não é saudável, pois não se fundamenta na realidade. Quando a força é tudo que transmitimos, não estamos revelando o verdadeiro eu. Somos genuínos e autênticos somente quando reconhecemos, abraçamos e revelamos a fraqueza.

Como seria então essa fraqueza se fosse visível, se a revelássemos? É a humildade: *a humildade é a força que não nega a fraqueza*. Na realidade, a verdadeira força procede da fraqueza, pois envolve admitir esta última. *A verdadeira força, portanto, é a humildade, que resulta de enfrentar e aceitar nossa fraqueza*. A pessoa humilde é autêntica, porque descobriu e reconheceu sua impotência. Desse modo, encontramos o segundo paradoxo deste livro: *A verdadeira força só pode ser encontrada na fraqueza*.

Em contrapartida, se você examinar mais de perto as pessoas que lutam pela riqueza ou pelo poder, constatará que elas na verdade estão se esforçando para conseguir um disfarce para a fraqueza. A pessoa pode tentar arduamente conseguir poder no esforço para alcançar uma posição que pareça segura e forte, bem distante da fraqueza. É claro que o poder nem sempre é uma indicação de que a pessoa poderosa está se livrando da fraqueza, mas essa é uma possibilidade. O mesmo é verdade com relação à riqueza: se uma pessoa acumula riqueza e se agarra aos bens materiais, com o tempo alcança um estado de abundância que parece imune à fraqueza. À semelhança do poder, a riqueza por si só não é necessariamente um indício de que a pessoa esteja tentando mascarar sua fraqueza, mas também é, certamente, uma possibilidade.

Em nossa cultura, a aparência se torna mais importante do que nosso eu autêntico; tão importante, na realidade, que frequentemente passamos a acreditar que a identidade superficial que exibimos para os outros é nossa verdadeira identidade. A maioria das pessoas dedica grande esforço e energia para transmitir uma impressão favorável às outras pessoas. Tentamos nos vestir na última moda, frequentar restaurantes e interagir socialmente com as pessoas certas. Esse esforço pode ser mais abrangente e nos levar a decorar nossa casa de um modo específico, frequentar a academia, perder peso, comprar um tipo de carro, ler os livros corretos, passar férias nos lugares apropriados, fazer compras nos locais da moda e até mesmo submeter-nos à cirurgia plástica.

Para cativar e impressionar, criamos representações positivas de nós mesmos: versões eficientes e refinadas, desprovidas de defeitos desagradáveis como a deselegância, a insegurança e a falta de estilo. Apresentamos essas versões para convencer a nós mesmos e aos outros de que não temos pontos frágeis. Somente depois de ter conseguido convencer todas as pessoas de que somos fortes sentimos que temos o direito de viver. Não obstante, pagamos um preço elevado por essa farsa. Quando não somos sinceros, não podemos encontrar a verdadeira intimidade, e a falta de intimidade conduz à solidão.

O amor fomenta a fraqueza

A questão da força e da fraqueza nos conduz diretamente à questão do amor. Não podemos nos dar ao luxo de ser fracos se não estivermos cercados de amor. Sem amor, não é seguro ser fraco. É por esse motivo que construímos nossa elaborada aparência. Quanto menos sabemos a respeito do amor, mais forte a fachada que nos sentimos obrigados a construir.

O amor favorece a fraqueza, possibilitando que revelemos nossa impotência. O amor tem um respeito tão profundo por nós que envolve o eu autêntico, permitindo que sejamos quem realmente somos. O amor não fica horrorizado nem se sente repelido pela fraqueza; pelo contrário, ele cria condições para ela. Na realidade, o amor — à semelhança da verdadeira força — tem origem na fraqueza. Todos sabemos que é difícil amar uma pessoa que seja superficialmente forte e convencida. Entretanto, é fácil amar a pessoa fraca, pois a fraqueza desperta solidariedade. É exatamente por esse motivo que as crianças despertam nosso amor. A fraqueza que vemos nelas é natural, e nos reconhecemos nela.

É claro que a fraqueza também pode provocar o desprezo. As pessoas que estão fugindo da própria fraqueza a desprezam nos outros. Quanto mais a negamos, maior a necessidade de a condenarmos nas outras pessoas. Essa é a lógica por trás da intimidação na escola e no local de trabalho. Os valentões carecem de autoestima; em outras palavras, não têm a capacidade de amar a si mesmos, de modo que tentam reforçar a autoimagem à custa dos outros — para ficar um pouco mais altos, pisam em alguém.

A verdade revela a falsa força

A questão da força e da fraqueza também é uma questão da verdade, pois esta revela a falsa força. *A verdade busca derrubar nossas fachadas e revelar o eu autêntico — devolver-nos à realidade.*

A pessoa que reconhece a própria fraqueza tem um intenso sentimento da realidade. Como seres humanos, nossa realidade abarca nossa fraqueza. Todos os seres humanos são fracos; não existe nenhum outro tipo. Portanto, encontramos nossa verdadeira identidade quando enfrentamos a fraqueza. Quando a aceitamos, compreendemos que não podemos viver sozinhos. Começamos a perceber que dependemos dos outros, e começamos a nos permitir sentir essa necessidade. Quanto mais profundamente compreendemos essa verdade, mais entendemos o significado da dependência saudável. Depender dos outros na verdade significa depender do amor. Este cria o ambiente protetor no qual a fraqueza pode se sentir em casa. O amor é o contexto no qual estamos destinados a viver.

A pessoa humilde é realista porque reconhece a fraqueza. Aquela que procura encobri-la é tudo, menos realista. Externamente, pode parecer poderosa e convincente, na verdade tão convincente que todo mundo acredita que ela, efetivamente, é o que parece ser. Esse é o propósito de sua grandeza: ocultar a fraqueza atrás de uma aparência de força, uma obra-prima de ilusão por intermédio da qual somente as pessoas mais perceptivas podem enxergar. Essa ilusão pode ser composta por atributos como um esplêndido acervo de conhecimento. O problema não é o conhecimento em si, é nossa atitude diante dele. O verdadeiro conhecimento é humilde; ele conhece os próprios limites. Como diz o ditado: quanto mais uma pessoa sabe, mais ela sabe que sabe pouco.

O caminho em direção à verdade passa pela fraqueza. Não existe nenhum outro trajeto. A verdade se esforça por nos conduzir à nossa impotência, fraqueza e desamparo. Se estivermos dispostos a reconhecer nossa fraqueza, a verdade nos libertará. No entanto, ela também nos fará sofrer. Não é fácil enfrentar uma coisa que fizemos o possível e o impossível para evitar. Por conseguinte, precisamos tanto do amor quanto da verdade nesse encontro com a fraqueza. Não podemos enfrentar a verdade do nosso eu completo sem o amor para nos proteger da inevitável dor.

A falta de amor conduz à vergonha

O amor possibilita que enfrentemos nossa fraqueza; assim, o amor nos conduz à nossa verdadeira identidade. Provavelmente, é dele que mais necessitamos. Entretanto, como todos podemos perceber, o amor com frequência parece escasso em um mundo repleto de crueldade, guerras, exploração, inveja e amargura. Recebemos muito pouco daquilo que mais precisamos. Até mesmo as crianças estão sujeitas a uma extrema crueldade e falta de amor; logo as crianças, que são as que mais precisam e merecem nosso amor. Isso acontece em toda parte, até mesmo em lares que parecem perfeitos, vistos de fora.

Essa falta de amor não é visível apenas na maneira como tratamos os que estão mais próximos de nós; ela também afeta a maneira como tratamos a nós mesmos. Frequentemente nos maltratamos, até mesmo com desdém. Abusamos de substâncias prejudiciais para nos sentirmos bem; trabalhamos excessivamente para sermos aceitos; comemos demais para sufocar nosso anseio de amor; paramos de comer no esforço de perder peso e receber amor; nos torturamos na academia tentando ser suficientemente adequados.

A falta de amor é um fato em nós mesmos e no nosso mundo; sempre foi e, aparentemente, sempre será. Somente aqueles que nem mesmo sabem o que é o amor — um número excessivo de pessoas — podem desconsiderar esse triste fato. Um número muito grande de seres humanos nunca foi tocado pelo amor, e sem saber o que deixam escapar, nem mesmo podem lamentar essa perda.

As crianças que crescem sem amor nunca têm realmente a infância a que tinham direito. Para chorar essa perda, elas precisam ter chance de experimentar, pelo menos parcialmente, como é ser amada por quem elas realmente são. Alcançar essa experiência de amor é uma das metas da terapia, ou pelo menos deveria ser.

A falta do amor cria a *vergonha* — *o sentimento de desonra e desmerecimento*. Isso acontece com as crianças que precisam se adaptar a problemas de família não resolvidos, como o alcoolismo, a violência, o abuso sexual ou as rígidas práticas religiosas. Quando esses problemas não são abordados, as crianças interpretam erroneamente seus sentimentos e experiências, bem como a maneira de perceber as coisas. Em vez de se relacionar com a raiva, a tristeza, a mágoa ou o medo do que está acontecendo na família, a criança interpreta suas reações emocionais como defeitos pessoais. Ela pensa o seguinte: "Deve haver algo errado comigo. Eu devo ser uma pessoa má." Ela não percebe que está se sentindo mal porque está sendo tratada da maneira errada. Nessa situação, a personalidade da criança fica emaranhada pela vergonha. Tudo dentro dela — esperanças, receios, reações, recordações, sentimentos — é limitado pela vergonha, que se torna uma condição normal da vida.

Quando vivemos com a vergonha, nossa fraqueza parece um defeito, e acreditamos que somos seres humanos fracassados. A vergonha é como um predador faminto que se esconde nas pegadas do amor. No instante em que o amor vacila e declina, a vergonha ataca. Ela surrupia o amor protetor necessário para resguardar nossa fraqueza humana natural. Quando o amor não está presente, o sentimento de vergonha assume o controle. Para que isso aconteça, não é preciso que eventos dramáticos ou secretos ocorram na família, como o alcoolismo ou o abuso sexual; o necessário é, simplesmente, a ausência do amor.

Basicamente, nós dependemos do amor. Para encontrar nossa verdadeira identidade precisamos ser vistos, ouvidos e reconhecidos como sendo as pessoas que realmente somos. Essa observação me faz lembrar de um momento mágico na minha vida, no início dos anos 1980, quando meu filho mais velho, Mathias, tinha 3 anos e morávamos à beira-mar. Era uma noite de inverno; o mar estava gelado e o céu, salpicado de estrelas. Decidi levá-lo para dar uma volta na baía congelada, onde a noite era ainda mais escura e as estrelas atingiam o auge da luminosidade. Quando chegamos ao meio da baía, decidimos nos deitar de costas sobre o gelo para ver melhor as estrelas brilhando no firmamento, milhares delas; o céu parecia baixo, quase ao nosso alcance. Naquele momento, ocorreu-me que eu deveria perguntar ao meu filho como ele se sentia a respeito de tudo aquilo, como ele percebia o mundo em que vivemos. Então, perguntei: "O que você acha, Mathias; quem criou as estrelas?" Meu filho parou um pouco para pensar e em seguida respondeu, com a inocência e a sinceridade de uma criança: "Foi papai!"

Aquele foi um dos maiores momentos da minha vida; não porque meu filho me tivesse em tão elevada consideração, mas porque sua resposta me revelou algo fundamental a respeito do mundo de uma criança. Mathias achava que o pai dele havia criado o universo no qual vivemos, o que o fazia sentir-se muito especial: ele era filho do Fabricante de Estrelas.

O fato de o Fabricante de Estrelas passar tempo ao lado do filho — se interessar por ele, prestar atenção ao que ele diz e levá-lo a sério — deve significar que a criança é muito especial, importante e digna de receber amor. A criança sente essa atitude, e, com o tempo, a interioriza como a forma como ela percebe seu valor pessoal. Esta é uma das maneiras pelas quais o autorrespeito é desenvolvido em uma personalidade em formação. Se o Fabricante de Estrelas não levar seu filho a sério, e em vez disso menosprezá-lo, ridicularizá-lo e rejeitá-lo, a criança interpretará essa falta de amor como um reflexo de seu valor limitado. Logo, quando submetida ao abuso ou abandono do pai, da mãe, ou de ambos, a criança não chega à conclusão de que seu progenitor ou progenitora é desatencioso, cruel ou injusto; ela chega a conclusões a respeito do próprio desmerecimento. A criança abandonada aprende a abandonar a si mesma; a criança amada aprende a amar a si mesma. Precisamos de alguém que nos ame e com quem possamos contar, porque nós, de certa forma, tratamos a nós mesmos exatamente como fomos tratados — continuando a partir de onde nossos pais e outras pessoas importantes pararam. Qualquer desamor que possamos ter sofrido no passado é transportado para nossa atitude a respeito de nós mesmos. E quando somos incapazes de aceitar nossa imperfeição, tentamos escondê-la.

Quando nossa identidade se baseia na vergonha, nos empenhamos em construir fachadas cada vez mais elaboradas para convencer as outras pessoas de que somos admiráveis e dignos. Podemos ajudar os outros de um modo compulsivo, tornar-nos "viciados em trabalho", agir de uma maneira excessivamente agradável e educada, bancar o palhaço para receber atenção ou correr riscos desnecessários para parecer heroicos. Todas essas tentativas têm algo em comum: nos isolam das outras pessoas. Evitamos a verdadeira intimidade de todas as maneiras possíveis, porque ela poderia revelar nossa fraqueza.

Estar constantemente apressado é uma maneira de evitar a proximidade. Se nos mantivermos ocupados, poderemos manter o contato com as outras pessoas de um modo seguramente superficial. Para fazer isso, precisamos nos convencer de que as circunstâncias nos obrigam a estar nessa permanente agitação. Recusamos a admitir que somos nós que criamos toda essa pressa e preocupação. Entretanto, ela resulta de escolhas inadequadas; só existe porque queremos que ela exista, porque atende a um importante propósito. Essa é uma verdade que a pessoa com uma identidade baseada na vergonha não deseja ouvir, porque, se o fizesse, teria de enfrentar a fraqueza e assumir a responsabilidade por suas escolhas.

A esperança não reside na força, mas sim na fraqueza

O programa de recuperação de 12 passos dos Alcoólicos Anônimos estabeleceu-se firmemente na cultura ocidental. Muitos grupos — entre eles o de viciados em drogas, filhos adultos de alcoólatras, comedores compulsivos, viciados em sexo e sobreviventes de abuso sexual — o estão aplicando a uma diversidade de problemas.

O programa de 12 passos foi criado por um grupo de alcoólatras que decidiram redigir alguns dos princípios que os haviam ajudado a ficar sóbrios depois de anos de um inferno alcoólico. Esse fato conferiu ao programa uma base sólida. É um programa prático que estimula mudanças no comportamento, não nas convicções religiosas. Ele está baseado em um conhecimento espiritual e psicológico originário da tradição judaico-cristã, mas não requer que os membros se afiliem a qualquer tradição ou doutrina religiosa.

O programa de 12 passos encerra uma espiritualidade profunda e saudável. Desde o primeiro passo, aborda a questão da fraqueza: "Admitimos que éramos impotentes perante o álcool — que tínhamos perdido o domínio sobre nossa vida." Cada pessoa admite que não consegue ser bem-sucedida sozinha. A esperança reside não na força, mas na fraqueza; quando ela reconhece esse fato, o crescimento tem início. O programa conduz o alcoólatra não apenas à sobriedade, mas também ao desenvolvimento pessoal e espiritual; em outras palavras, às origens da verdadeira força. Essa força só pode ser utilizada por aqueles que estão dispostos a enfrentar a fraqueza com coragem e sinceridade.

Antes de chegar a esse passo, o alcoólatra, provavelmente, tentou lutar sozinho contra o vício da bebida durante anos, ou até mesmo décadas. Tentou ser forte e se controlar de várias maneiras: fez promessas de permanecer sóbrio, mudou-se para outra cidade, jurou só tomar bebidas alcoólicas "fracas", casou-se e constituiu uma família, fez novos amigos, passou a se dedicar a uma intensa rotina de exercícios, parou de viajar. Tentou tudo o que podia.

Mas nada fez com que parasse de beber. Ele só conseguirá parar depois de compreender que não consegue parar. É difícil compreender esse paradoxo, e ele só consegue fazê-lo quando percebe o imenso poder inerente ao reconhecimento da fraqueza. Até mesmo agora seus esforços são inúteis. Ele não para de beber; em vez disso, o álcool torna-se inútil quando o alcoólatra permanece em contato com sua fraqueza. Por essa razão, é importante que continue a fazer referência a si mesmo como um alcoólatra nas reuniões do programa de 12 passos. Ele continua a fazê-lo mesmo depois de estar sóbrio há anos ou décadas. Ele é um alcoólatra sóbrio. Essa é sua maneira de dizer, principalmente para si mesmo, que a sobriedade e o crescimento dependem de permanecer em sintonia com a fraqueza.

O programa de 12 passos descobriu uma verdade que se aplica a toda vida humana: só podemos crescer na medida em que reconhecemos nossa necessidade de crescimento. Jesus disse que não são as pessoas saudáveis que precisam ser curadas, e sim as que estão doentes. Ele não quis dizer que existem pessoas perfeitas que não têm necessidade de crescer e mudar e que o restante de nós precisa; quis dizer que um pré-requisito básico para o crescimento é o reconhecimento da doença. Isso cria a necessidade da cura. A conscientização saudável da doença é o prenúncio da saúde.

Esse desenvolvimento diz respeito à humildade, ao reconhecimento e à aceitação da nossa fraqueza. Nós, seres humanos, nos sentimos impelidos a ocultar a fraqueza não apenas dos outros, mas também de nós mesmos. Negamos nossa doença e incompletude, alheios ao fato de que a fraqueza é parte essencial da vida humana. Como não amamos verdadeiramente a nós mesmos, encaramos a fraqueza como uma imperfeição, um sinal de fracasso, de modo que tentamos parecer melhores do que realmente somos, tentamos dar a impressão de que somos "normais". Uma vez que conseguimos convencer a nós mesmos de que somos normais, deixamos as coisas como estão. Não sentimos nenhuma necessidade de crescer ou examinar a nós mesmos; em vez disso, examinamos os outros. Encontramos defeitos e deficiências; temos a mais absoluta certeza de que os outros devem crescer e mudar. Nós lhes oferecemos conselhos sinceros a respeito de como podem mudar a maneira errada de ser, e comprovamos nossa natureza nobre oferecendo-nos para ajudá-los nos seus momentos de necessidade. Isso nada mais é do que o orgulho comum, mas em uma forma de tal modo sofisticada que ele frequentemente passa despercebido.

Na fraqueza aprendemos o que há de mais valioso na vida

Qual o verdadeiro valor da fraqueza? O que é essa impotência que precisamos reconhecer para poder crescer? Ela realmente existe?

Na cultura ocidental, quase todos administramos com competência os assuntos diários. Superficialmente, não parecemos ser carentes de poder, nem fracos. Somos relativamente bem-sucedidos: executamos nossas tarefas, comemos com fartura, desfrutamos de algum tempo livre, compramos ações, criamos os filhos, navegamos na internet, organizamos reuniões estratégicas. Então, por que toda essa conversa a respeito de fraqueza e impotência? O que ela tem a ver conosco? Por que deveríamos, de repente, desenvolver essas estranhas qualidades quando nossa vida parece estar correndo da maneira adequada?

Superficialmente, a impotência parece remota. Apesar dos conflitos, da violência e do sofrimento que afetam grande parte da humanidade — aos quais nenhuma nação é hoje imune —, a vida em países desenvolvidos ainda é relativamente segura, em comparação com o restante do planeta. Nesses países, as necessidades básicas da maioria da população são satisfeitas, e muitas pessoas desfrutam de uma abundância de bens de consumo e conforto.

Entretanto, após um exame mais detalhado sob a superfície, não estamos nada bem. O brilho e os ornamentos da boa vida encobrem a tristeza, a raiva, a amargura e a dor. Quase todos abrigamos uma necessidade insatisfeita de intimidade com as outras pessoas. E para muitos de nós essa ânsia de ser amado se manifesta como uma torturante dor que nos acorda todas as manhãs e perturba nosso sono à noite.

Frequentemente, refletimos a respeito de perguntas dolorosas sobre o significado da vida: quem sou e qual o meu objetivo na vida? Por que me obrigo a acordar todas as manhãs e ir para um emprego do qual não gosto? Por que estou constantemente preocupado e triste? Por que tenho medo do futuro, da doença, da pobreza, da morte?

Terei de passar o resto da minha vida sozinho? Por que me sinto tão solitário mesmo acordando todos os dias ao lado de alguém? Estou condenado a ficar com essa pessoa apenas porque não tenho coragem de ir embora? Por que sempre fica a impressão de que não tenho dinheiro suficiente? Por que meus filhos não me respeitam? Por que sempre acordo com dor de cabeça? Por que estou constantemente com dor de estômago? Por que pareço nunca ter um tempo livre? Por que os problemas do trabalho me acordam no meio da noite? Por que a vida não mudou para melhor?

De onde vêm estas perguntas? O que elas significam? São perturbações externas que sabotam injustamente a felicidade, intrusos que devem ser silenciados como irrelevantes e sem importância? Ou precisamos prestar mais atenção a estas mensagens? Será possível que estas perguntas resultem de nossa incapacidade para enfrentar a fraqueza? Elas vêm do lugar onde secretamente abrigamos sentimentos de desconsideração e rejeição? Se tentarmos evitar, a vida inteira, algo essencialmente importante para nós, essa parte reprimida, com o tempo, virá à tona com tal intensidade que abalará a fortaleza que construímos para proteger nossa inexpressiva felicidade.

Até onde consigo ver, estas perguntas surgem das nossas profundezas, da nossa verdadeira identidade. Elas ficam batendo à porta com irritante persistência porque contêm mensagens essenciais a respeito de tudo que negligenciamos e abandonamos em nós mesmos e em nossa vida. Elas são oriundas da terra da fraqueza. São emissárias do lugar para onde rumamos.

Mas para onde nos dirigimos? Alguém ainda conhece o rumo da vida?

De uma coisa, pelo menos, podemos ter certeza: a vida na forma como a conhecemos chegará ao fim para cada um de nós. Caminhamos em direção ao momento em que abrimos as mãos e a vida nos escapa. A morte é a suprema fraqueza. Significa a total perda de controle sobre a nossa vida, o desamparo e a entrega totais.

Será possível que essa perda do controle que nos aguarda no fim dos nossos dias seja uma indicação do que é importante na vida? Talvez ela nos convide a desistir do controle antes que ele nos seja irrevogavelmente retirado, pela morte. A realidade da morte é uma alusão ao valor da vida que a precede. A morte nos faz lembrar que devemos viver bem nossa vida e levar em consideração o que é realmente importante. Como a morte nos privará de tudo o que é desnecessário, ela oferece um parâmetro para a vida. O que quer que não perdure em face da morte, no final, não é importante. Nesse sentido, a morte pode ser vista como o clímax da vida humana. É a vitoriosa advertência que encerra o processo de crescimento vitalício. É nossa cerimônia de premiação mais jubilosa — e o prêmio é o ingresso em algo novo no final da nossa velha existência.

Caminhamos em direção à fraqueza absoluta, mas *na fraqueza aprendemos o que é valioso e duradouro na vida*. Ao reconhecer a fraqueza, entramos na vida através da morte. Nossa fachada desmorona, nosso falso eu se extingue e nós nos reconciliamos com nosso eu verdadeiro e autêntico.

CAPÍTULO 3
Se você busca a segurança, viva perigosamente

Construímos, na cultura ocidental, uma sociedade que é mais segura do que muitas outras. Conseguimos, praticamente, erradicar a fome, a sede, a guerra e o frio. Eliminamos do nosso dia a dia os encontros com a morte e o sofrimento — apenas poucas gerações depois de uma época em que as pessoas normalmente sofriam e morriam em casa. Embora não tenhamos alcançado o controle sobre a morte, conseguimos criar circunstâncias que a mantêm o mais afastada possível de nossa existência cotidiana. Embora não sejamos capazes de dominar a natureza, nós nos sentimos em segurança nas cidades, afastados dessas ocorrências, vivendo em um mundo artificial, com a ilusão de um controle quase perfeito.

Ao eliminar toda a dramaticidade natural da nossa sociedade, aceitamos facilmente que a vida em si pode ser controlada. Começamos a achar e a acreditar que a vida não pode — e não deve — nos tocar ou ferir. Nós nos colocamos acima da imponência dos processos naturais da vida, estabelecendo condições e fazendo exigências. Isso é trágico, porque, ao fazê-lo, perdemos a vida: nossa existência pode parecer segura e plena, sob nosso controle, mas a vida em si não está mais presente. Não obstante, é impossível enganar a vida, pois ela se recusa a ser observada a partir de uma distância segura. A vida não oferece posições seguras e, por conseguinte, nenhuma maneira de evitar sofrimento; pelo contrário, é somente suportando a dor do infortúnio que podemos verdadeiramente saborear as alegrias. Essas duas coisas caminham juntas; não podemos ter uma sem a outra.

Deixar de ser um animal e adquirir uma vida consciente

A vida é uma jornada na qual o derradeiro propósito é a própria jornada, o contínuo processo de morte e nascimento. Logicamente, percebemos nisso destino de vez em quando, mas apenas por um momento; depois de um breve descanso, precisamos prosseguir, em direção a uma nova incógnita. Esse rumo é definido nos primeiros instantes da vida.

Começamos a viver como uma espécie de animal aquático, flutuando no útero. Quando nos desenvolvemos, repousamos em um espaço seguro e repleto de um fluido que parece infinito; estamos jubilosamente alheios ao que existe mais adiante. Gradualmente, precisamos abandonar o primeiro estado de existência e tornar-nos um mamífero, sendo violentamente arrancados do seguro universo aquoso. Uma árdua jornada tem início: a passagem através do abraço quase mortal para um mundo desconhecido. Não há tempo para olhar para trás e sentir saudades da segurança perdida, não há tempo para lamentar o fim. Emergimos em um lugar luminoso e barulhento, onde tudo é novo e diferente. Esse desconhecido é nosso novo mundo, e o fluido confortante é substituído por ar, que penetra no nosso pulmão com uma força explosiva, desencadeando um movimento rítmico que mais tarde receberá um nome: *respiração*. Tudo isso marca o início da nossa nova existência como um mamífero horizontal, cercado por coisas que se movimentam de uma maneira incerta e que, de vez em quando, batem em nosso rosto; mais tarde perceberemos que essas coisas fazem parte de nós: são as mãos. E notamos outro tipo de coisas que se mexem, mais difíceis de entender. Essas não batem no rosto, mas, sem dúvida, têm algo a ver conosco: sãs as pernas. O objetivo delas permanece obscuro nesse estágio, mas é revelado posteriormente, pois precisamos aprender a colocar todo o nosso peso sobre elas e, em seguida, ir de um lado para o outro nesse mundo novo e estranho. Logo, depois dessas reviravoltas, não chegamos ao destino; em vez disso, a única escolha é abandonar o mundo horizontal e avançar em direção a novas e confusas descobertas.

Em algum ponto de nossa jornada neste novo mundo percebemos que não estamos sozinhos. Detectamos um outro, que pouco a pouco se revela uma criatura chamada "Mãe". A mãe parece ir e vir ao seu bel-prazer, mas descobrimos que os sons que saem da nossa garganta exercem um efeito sobre ela. Com o tempo, também reparamos que não somos a única razão da existência da mãe; ela tem um mundo inteiro só dela. Esses dois universos começam a se comunicar, criando algo chamado consciência. Expulsos de nosso paraíso aquoso, nos desenvolvemos e nos transformamos em uma forma de vida que tem consciência de si mesma: um ser humano.

Que enorme responsabilidade é atribuída aos seres humanos! Levando-se em conta essa percepção consciente e a capacidade resultante de duvidar e questionar a vida, somos, de certa maneira, separados da vida: nós não vivemos apenas; também examinamos a vida como um fenômeno. Como iremos sobreviver? Como poderemos aprender a viver e, ao mesmo tempo, ter consciência dessa vida como observadores externos? São perguntas difíceis.

Iniciamos, então, essa jornada chamada vida para encontrar respostas. Entretanto, é uma jornada finita. Desde o começo, esse precioso projeto foi programado para se autodestruir. Porém, logo começamos a desconfiar de que nem mesmo essa jornada é nosso destino final; em algum ponto bem distante reside um novo mistério. Alguma coisa pode fazer sentido depois que compreendemos isso? Como podemos confiar em alguma coisa?

Quando contemplamos a vida como uma série de mudanças cruciantes, em que a morte é a conclusão admitida, a pretensão de controlar a vida parece ridícula. A única escolha que realmente temos é aceitá-la como ela é, abrir-nos — voluntariamente ou de má vontade — ao seu abraço, frequentemente confuso, ao aperto do nascimento que quase nos matou e que um dia, efetivamente, o fará.

O amor nos conduz à segurança

Nesse incessante abraço da vida uma pergunta ergue-se acima de todas as outras: como podemos ser salvos? Onde podemos encontrar segurança quando a vida desencadeia um caos e uma insegurança tão grande? Essa perpétua jornada, esse processo de mudança e renúncia, oferece alguma coisa duradoura e inalterada? Alguma coisa, algum dia, será capaz de nos proporcionar uma certeza que nos permitirá ter a coragem de confiar no processo da vida?

Estas perguntas se repetem, insistentemente, dentro de cada um de nós, porque todos sabemos o que acontecerá no fim. Seja de um modo metafórico ou literal, o chão de repente se abrirá e nos engolirá, arrastando-nos para um abismo sem retorno. Essa conscientização está gravada em cada um de nós, até mesmo naqueles que sempre evitaram esses pensamentos.

Na realidade, a questão da segurança é uma questão de amor. O amor nos faz lembrar que não estamos sozinhos e não precisamos nos transportar sozinhos; antes, somos carregados — somos apoiados ao longo de toda a nossa jornada. *O amor nos conduz em tudo que fazemos.* Ele nos protege de ser a única fonte de segurança em nossa vida e coloca nossa existência em um contexto mais amplo. Esse contexto não nos confere apenas a verdadeira segurança; ele também confere à vida seu significado mais profundo. Embora possamos não entender os mistérios da vida, será que há um poder capaz de compreendê-los? Existe um ser que sabe de onde viemos e para onde estamos indo? Se for o caso, esse ser precisa, necessariamente, saber a resposta para nossas perguntas mais prementes: qual o significado da vida? Por que temos de morrer?

Quando o abismo se abrir sob os nossos pés, no fim da vida, precisamos acreditar que alguém irá nos aparar, alguém cujos braços sejam bem fortes para nos carregar tanto na vida quanto na morte. Somente então poderemos reunir coragem para viver plenamente e aceitar a vida da maneira como ela se revela. Sem a consciência de que somos carregados, tentamos transportar a nós mesmos. Construímos uma sensação de segurança protegendo-nos da vida, atrapalhando nossa jornada.

Nós nos agarramos a estruturas de segurança criadas por nós mesmos

As maneiras pelas quais tentamos criar segurança por conta própria são múltiplas e inventivas. O apego às coisas materiais é uma das mais comuns; podemos atribuir um significado tão grande aos bens materiais que com o tempo passamos a aceitá-los como *a* fonte de uma vida segura e significativa. Quando concentramos a mente e a alma em acumular bens, logo ficamos convencidos de que a vida diz respeito, basicamente, a coisas materiais. Essa convicção nos ajuda a manter afastadas as questões inquietantes a respeito da vida.

Outra estratégia que usamos para sentir-nos seguros é ter a ciência ocidental em alta consideração, criando desse modo a ilusão de que, de fato, compreendemos a vida. Podemos estudar milhares de livros, assinar inúmeros jornais, assistir a dezenas de noticiários e obter diversos diplomas, antevendo as respostas das ciências exatas para as perguntas a respeito da vida e da morte. Aqueles que acreditam na ciência empregam o conhecimento para criar uma segurança artificial: raciocinamos que somos capazes de controlar a realidade ao reduzi-la a regularidades e coisas previsíveis.

O apego a outras pessoas não é uma estratégia de segurança fora do comum. Podemos nos agarrar ao nosso cônjuge, por exemplo, como uma criança se agarra ao pai ou à mãe, e evitar as responsabilidades do adulto, que incluem enfrentar e reconhecer a alarmante imprevisibilidade inerente à vida. Podemos permanecer crianças e delegar a outra pessoa o poder de administrar nossa vida.

Muitos se apegam a uma religião, seguindo um dogma rígido de crenças, normas e regras. Quando reduzimos a vida ao preto e branco, sem admitir nuances de cinza, temos certeza de que sabemos precisamente o que é certo e o que é errado; que podemos tomar o partido do bem contra o mal — ou seja, contra o restante da humanidade. Esse tipo de sectarismo é uma das formas mais sorrateiras do mal, porque ele é dissimulado pela imagem de uma extrema bondade. Quando nos tornamos rigidamente religiosos, nos colocamos no lugar de Deus, tornando-o um servo de nossos objetivos. Era isso que Jesus considerava seu maior inimigo; e quem acabou matando Jesus? Os bons e os inocentes.

Também podemos tentar controlar a realidade com uma delicadeza crônica, apresentando uma versão desinteressante e inofensiva de nós mesmos em troca da aceitação. Outra palavra para isso é *manipulação*: negamos aos outros a oportunidade de reagir diante de nós de uma maneira específica. Ao usar essa abordagem, nunca corremos o risco de ficar vulneráveis, negando assim a nós mesmos a oportunidade de ser amados, pois quando ocultamos nossas imperfeições humanas, como as esquisitices e outros defeitos, também as escondemos do amor. Muitas pessoas pensam que ser cristão significa ser sempre agradável: dar a outra face, mesmo que esteja com o punho cerrado dentro do bolso. Mas quando examinamos a vida de Jesus, constatamos que ele não era dócil e bonzinho. Pelo contrário, era uma pessoa difícil, tanto assim que o regime estabelecido concluiu ser necessário eliminá-lo o mais rapidamente possível.

Evitar riscos é uma estratégia popular para sentirnos seguros: nós nos recusamos a tentar qualquer coisa nova para evitar cometer um erro e ter de enfrentar a imperfeição humana. Em vez disso, fazemos sempre as mesmas coisas, da mesma maneira, tentando obter o controle ao tornar nossa vida uniforme e previsível. Permanecemos no mesmo emprego durante trinta anos, comemos sempre o mesmo tipo de comida, jamais conhecemos pessoas novas e diferentes, fazemos a mesma coisa todos os anos nas férias de verão, vestimos sempre o mesmo estilo de roupa — e sempre desprezamos aqueles que são diferentes e fazem as coisas de um modo diferente. Essa é a fórmula da *arrogância*: estamos convencidos de que chegamos ao nosso destino; outras pessoas que ainda estão empreendendo sua jornada precisam do nosso conselho porque sabemos como as coisas devem ser. E damos conselhos porque não podemos nos dar ao luxo de ouvir; afinal de contas, poderíamos escutar alguma coisa nova e traumática, algo que não seríamos capazes de controlar. Também nos mantemos à distância porque os outros poderiam ver em nós algo que nos recusamos a enxergar, e quanto mais restrita é nossa vida, maior é nossa necessidade de condenar e criticar os outros. Nunca vemos e ouvimos as outras pessoas como elas realmente são; em vez disso, nós as envolvemos no nosso drama interior e elas servem apenas como um parâmetro para que fiquemos cada vez mais convencidos de que nosso estilo de vida é superior.

Também podemos procurar o controle adiando a vida para algum momento no futuro. Ela começará quando concluirmos a dissertação de doutorado, quando tivermos filhos, quando nossos filhos se tornarem adultos, quando tivermos pagado a hipoteca, quando pudermos comprar uma casa de veraneio, quando recebermos a promoção que estamos esperando, quando nos aposentarmos... *então* teremos tempo para o que consideramos importantes: os filhos, os amigos, o cônjuge, a saúde, a espiritualidade, nós mesmos. Ouvi certa vez um exemplo horrível do que acontece quando adiamos indefinidamente a vida: um casal procurou um advogado porque desejava se divorciar, já que a vida deles era horrível e nunca haviam sentido prazer na relação. Ambos tinham mais de 90 anos! Quando o advogado perguntou por que não tinham se divorciado antes, eles responderam que estavam esperando que os filhos morressem.

Quando saímos do momento presente, nos retiramos do único momento no qual a vida está presente. Quando adiamos a vida para uma época futura, nós nunca nos envolvemos com o que está acontecendo. Podemos nos ocupar com tantas tarefas que nunca precisaremos parar e enfrentar a realidade. Quando não temos tempo para refletir, não precisamos enfrentar nosso vazio e nossa incompletude. Quanto maior a angústia que sentimos, mais rápido torna-se nosso ritmo. Quanto maior o ritmo, mais aumenta a angústia. Ironicamente, parecemos fugir do que estamos perseguindo, ou seja, a experiência de ser amados e valorizados. Buscamos freneticamente, em toda parte, algo que poderíamos encontrar dentro de nós, no nosso ser autêntico: nossa fraqueza, nossa humanidade. Se nos permitíssemos revelar nossa fraqueza e nosso desamparo, alcançaríamos o amor e a convicção de que somos suficientemente adequados, com direito a uma vida satisfatória. Poderíamos obter o que estamos perseguindo se simplesmente parássemos e nos mostrássemos abertos a recebê-lo.

Entre outras maneiras de ocultar nossa fraqueza humana está a tentativa de tornar-nos perfeitos. Quando chegamos à conclusão de que sabemos tudo e sabemos como fazer tudo, do jeito certo, entramos num território no qual a fraqueza é proibida. Escapamos dela tentando alcançar seu oposto, a perfeição. Quando somos perfeitos, ninguém jamais será capaz de nos pegar cometendo um erro; em contrapartida, ninguém tampouco será capaz de nos amar. O escudo da perfeição nos protege do amor, e ao proteger-nos do amor negamos a nós mesmos a oportunidade de viver uma vida genuína.

Também podemos controlar a vida tornando-nos invisíveis, certificando-nos de que não abrigamos opiniões, necessidades ou sentimentos complicados; ou, melhor ainda, garantindo que não temos nenhuma opinião. Ocultamos nossos talentos em vez de usá-los, porque ser criativo pode chamar a atenção, o que é perigoso. Quando nos obliteramos para não podermos ser vistos, deixamos de ser vulneráveis. Não precisamos de mais nada dos outros, nem mesmo de amor; não avaliamos mais nosso ambiente nem ocupamos o lugar que é nosso por direito. Não tomamos nenhuma posição, de modo que não criamos dificuldades nem transtornos, e uma vez que jamais corremos o risco de sermos vistos como realmente somos, estamos na verdade controlando nosso ambiente. Criamos segurança desprezando tudo o que se refere à vida, mesmo que de um modo sutil. O preço que pagamos por isso pode ser elevado, mas sentimos que nenhum preço é alto demais quando a segurança é prioridade.

Outra estrutura segura é viver a vida dos outros para não precisarmos viver a nossa. Podemos nos concentrar nos assuntos deles; podemos perceber as questões a partir do ponto de vista deles. Ao fazer isso, evitamos examinar a nós mesmos. A necessidade compulsiva de cuidar dos outros é uma manifestação dessa autossuficiência prejudicial: salvamos continuamente os outros das consequências das ações deles; oferecemos ajuda, compreensão, apoio, conforto e estímulo, embora nada disso nos tenha sido solicitado. Ao nos concentrarmos nos outros, perdemos quase completamente o contato com nós mesmos.

Talvez o exemplo mais familiar de uma estrutura de segurança criada por si mesma seja a esposa de um alcoólatra. Ela deixa que a vida passe por ela por causa da bebida dele. Quanto mais se sente mal no relacionamento, mais se concentra em tentar controlar o hábito do marido. Quanto mais responsabilidade ela está disposta a assumir, mais ele fica livre para beber. Desse modo, a esposa na realidade compartilha do alcoolismo do marido, ao preservá-lo das consequências da bebida.

Na cultura ocidental, a toxicomania é, provavelmente, a maneira mais comum de tentarmos controlar nossa vida. Embora possa parecer que o usuário esteja buscando se livrar do autocontrole, a verdade é exatamente o oposto: usamos as substâncias para manipular quimicamente nossos sentimentos. Em vez de procurar a companhia de outras pessoas e correr o risco de ficar vulneráveis por revelar nossa fraqueza e impotência, nos voltamos para o álcool e outras substâncias em busca de conforto e compreensão. Trocamos o prazer genuíno da intimidade e da conexão por um prazer artificialmente induzido que nós mesmos conseguimos produzir, com a ajuda de drogas. Essa é outra tentativa de nos proteger do amor e conservar a ilusão de um controle total sobre a vida.

De forma contraditória, a substância que usamos frequentemente conduz ao vício, o oposto do controle, mas o viciado não percebe isso. Em vez de reconhecer o vício e pedir ajuda, a pessoa dependente se esforça por obter um controle maior sobre o hábito. Faz sentido, portanto, que a ausência de um sentimento saudável da doença seja uma característica fundamental do vício. Além de gerar uma autossuficiência prejudicial, conduz a um isolamento mais profundo, um novo motivo para anestesiar os sentimentos com drogas. A espiral do vício só pode ser interrompida se admitirmos a perda do controle e pedirmos ajuda. É desse modo que a vida nos convida a reativar a comunhão — a comunhão com os outros e com a própria vida.

Tratamos a nós mesmos da maneira como éramos tratados quando crianças

A falta de amor faz com que evitemos nos aproximar das outras pessoas. Nós não queremos, ou não ousamos, revelar nossa impotência e carência humanas; em vez disso, nos apoiamos em nós mesmos e em estruturas frágeis de nossa própria criação.

Mas qual a origem dessa falta de amor? Em algum ponto da jornada nossas experiências geraram a necessidade de proteger-nos dos outros e da vida, e à medida que nos isolamos ficamos convencidos de que não existe amor para nós. Essas experiências podem derivar de diferentes períodos de nossa vida; entretanto, as oriundas do início da infância são as que estão mais profundamente gravadas em nosso ser.

A maneira como fomos tratados na infância transmite uma mensagem fundamental a respeito de nosso valor; na idade adulta, temos a tendência de tratar a nós mesmos da mesma maneira. Os que estão próximos definem nosso valor demonstrando que sentem ou não amor por nós. Quando experimentamos ser amados constantemente, acreditamos que somos dignos de amor e nos tratamos com o mesmo respeito: cuidamos bem de nós mesmos, consideramos nossos sentimentos e necessidades importantes e não permitimos ser tratados de outra maneira.

Por outro lado, quando as experiências de receber amor são poucas, esperamos ser tratados de uma maneira não amorosa. Convencidos de nossa falta de merecimento, nós nos cercamos de pessoas que nos tratam de modo grosseiro; afinal, aprendemos a considerar isso normal. Podemos, por exemplo, escolher um cônjuge violento, alcoólatra, insolente ou, sob outros aspectos, negligente.

Por intermédio de seu comportamento, os outros nos dizem quem somos. Isso é especialmente verdadeiro com relação aos que eram próximos de nós nos primeiros estágios de desenvolvimento: nossos pais, biológicos ou não, a quem foi conferida a responsabilidade sobre nossas vidas em formação.

A falta de amor na infância se autoperpetua

De que maneira a falta de amor se manifesta na infância? Emocionalmente, os pais que não cresceram estão tão absortos por suas necessidades insatisfeitas da infância que não têm lugar no coração para uma criança. Isso pode até conduzir à inversão de papéis, quando é esperado que o filho alimente a criança carente e ferida que o pai ou a mãe carrega dentro de si. Assim, o recém-chegado cresce sem a presença de um adulto: ninguém vê ou ouve o que está acontecendo dentro do menino ou da menina. As crianças que não têm experiência de ser vistas ou ouvidas pelo que realmente são se transformam em adultos desprovidos de um eu autêntico, adultos que não estão em contato com seu interior.

Além disso, a ausência de um verdadeiro adulto na infância, em geral, significa que não há ninguém para estabelecer limites e definir papéis claros na família. Como resultado, as crianças detêm um poder que não deveria pertencer a elas, poder para o qual não estão preparadas emocionalmente nem sob o aspecto do desenvolvimento. A criança com esse poder sente-se inevitavelmente insegura e despreza os adultos da família, reconhecendo intuitivamente que eles deixaram de assumir sua devida responsabilidade. A criança que despreza a idade adulta se torna, primeiro, um adolescente que se recusa a crescer e, mais tarde, um pai ou uma mãe que não se preocupa o suficiente em criar os filhos, ao mesmo tempo em que procura a autorrealização, a satisfação das necessidades negligenciadas da infância.

A falta de amor na infância, frequentemente, se manifesta como vergonha — desdém, menosprezo, zombaria, desprezo. Sendo o oposto do amor, a vergonha rapidamente ocupa o vazio criado pela ausência do amor e, o que é pior, esmaga o que o amor promove — a personalidade emergente —, de todas as maneiras possíveis. O amor abriga uma personalidade jovem e vulnerável. Com amor, os pais podem condenar um *ato* errado da criança, mas nunca sua personalidade. Não podemos entrar em contato com nosso eu autêntico sem reconhecer e aceitar nossa vulnerabilidade, e não podemos revelar nossa vulnerabilidade sem a presença do amor.

Alguém que estabeleça condições para nós também pode refletir uma carência de amor em nossa vida: *Eu o amarei se...* O amor não é uma coisa a ser conquistada. Ninguém pode controlar o amor esforçando-se para merecê-lo. Pode haver uma falta de amor em famílias nas quais tudo parece perfeito: que têm uma boa posição social, ricas, instruídas, viajadas e assim por diante. Mas existe um problema quando tudo precisa *parecer* adequado: a impressão que causamos torna-se mais importante para nós do que a realidade por trás dela, que é um vazio interior. Esse tipo de falta de amor é, com frequência, habilmente disfarçado e, por conseguinte, difícil de reconhecer: como tudo *parece* tão adequado, temos a impressão de que tudo *tem de estar* adequado.

Nossas experiências de falta de amor estão entrelaçadas em nossa personalidade, e na idade adulta se manifestam como uma falta de amor por nós mesmos e pelo nosso ambiente. Essa carência impede que confiemos nos outros e de nos aproximarmos deles: nunca revelamos nosso verdadeiro eu. Em vez disso, convencidos de que revelar nossa vulnerabilidade seria perigoso, nos escondemos dos outros e evitamos ser feridos pelos encontros desprovidos de amor que esperamos.

A segurança interior conduz a uma vida de coragem

A falta de amor sempre gera medo, pois este se origina quando somos deixados sozinhos, sem uma ligação profunda com os outros, ou seja, sem amor. Esse medo conduz à necessidade de controlar a vida, em vez de vivê-la. E como somos incapazes de confiar no amor, não ousamos ser fracos. Quando estamos dominados pelo medo, também não ousamos cometer erros, pois eles revelariam nossa fraqueza humana. Desse modo, a insegurança interior mata a criatividade.

É o amor que proporciona segurança, por meio de uma serena tolerância da insegurança inerente à vida; quando o amor está presente, temos coragem de realmente viver, embora a vida em si *seja* perigosa. Ousamos experimentar coisas novas, inclusive as que não conseguimos controlar, livres da necessidade de compensar a falta de segurança interior por intermédio do esforço constante de assegurar a segurança externa. Em outras palavras, a segurança interior conduz à capacidade de viver perigosamente, o que introduz nosso terceiro paradoxo: *Se buscamos a segurança, precisamos viver perigosamente.*

A vida perigosa é uma vida criativa, que inclui correr riscos; o preço que pagamos por isso é sempre a vulnerabilidade. Não podemos criar nada novo se invariavelmente dependermos do velho, simplesmente porque temos medo da mudança. Por conseguinte, uma estratégia de sobrevivência baseada na necessidade excessiva de segurança, na realidade, mata a vida.

O que precisamos então para reviver e reunir coragem para continuar em nossa jornada? Como uma pessoa aprisionada atrás das estruturas de segurança se liberta e reinicia a jornada, essa perigosa jornada que se chama vida?

Os sons da vida se fortalecem ao longo do caminho do medo

Resultante da falta de amor, o medo é a razão por trás da autossuficiência prejudicial e de todas as estruturas de segurança que concebemos. Quando estamos amedrontados, tentamos controlar a vida em vez de vivê-la; por conseguinte, o caminho em direção a uma vida saudável requer que enfrentemos nosso medo. Portanto, quando sentimos que a vida é inexpressiva e vazia, e nada emocionante jamais nos acontece, precisamos começar a viver perigosamente.

O que é, então, uma vida perigosa? Viver perigosamente significa tornar-nos quem somos em nossa essência mais profunda, ou seja, implica destruir nossas elaboradas construções de segurança e entrar em contato com o eu autêntico. Uma vida perigosa consiste em tornar-nos visíveis, possibilitando que nossa verdadeira personalidade venha à tona.

Isso pode não parecer tão dramático ou perigoso, mas é, e muito: não podemos nos aproximar de nossa essência mais profunda sem abandonar as estruturas de segurança que criamos. Se baseamos a sensação de segurança no álcool, temos de desistir dessa segurança. Se a buscamos agarrando-nos ao conhecimento e à erudição, teremos de nos tornar inocentes e indefesos, e enfrentar o fato de que o conhecimento não mais orienta nossa jornada. Se estivermos asfixiados por bens materiais, enriquecer não poderá ser nosso principal objetivo. Se estivermos apegados ao nosso cônjuge, delegando a ele a responsabilidade pela nossa vida, teremos de libertá-lo e aprender a ser independentes. Se nosso apego for à religião e à ideia de que tudo é preto e branco, teremos de reunir coragem para avançar em direção à liberdade. Se buscamos a segurança tornando-nos inofensivos e invisíveis, precisaremos voltar a ser visíveis. Se viemos a ser cronicamente bonzinhos, teremos de aprender a expressar nossa raiva.

Como podemos concluir a partir desses exemplos, a mudança sempre parece extremamente perigosa. Criamos nossas estruturas de segurança para proteger-nos dos sentimentos de grande insegurança que experimentamos em algum momento, geralmente logo no início da vida. Quando começamos a questionar e demolir essas estruturas, que dão a impressão de ter oferecido a única segurança, precisamos enfrentar os sentimentos catastróficos que nos levaram originalmente a erigi-las. Então, nas dores da mudança, podemos sentir que nosso mundo está desmoronando e que estamos ficando confusos, perdendo nossa sanidade.

É por esse motivo que muitas pessoas não se aventuram a deixar um casamento prejudicial. Elas não ousam enfrentar os sentimentos de insegurança que viriam à tona se ficassem sozinhas; na realidade, muitas pessoas prefeririam morrer a enfrentar esses medos. Essa também é uma das razões pelas quais muitos alcoólatras não conseguem deixar de beber; o fato de abandonarem a única ilha de segurança tornaria visíveis os sentimentos e os problemas por trás do vício. A verdadeira recuperação requer que esses problemas sejam abordados; embora a sobriedade seja um pré-requisito, ela sozinha não é suficiente.

Renunciar às nossas estruturas de segurança frequentemente desperta um medo tão grande que só nos mostramos dispostos a enfrentá-lo quando a única opção é entregar os pontos. Ainda assim, muitas pessoas escolhem a autodestruição em detrimento da autodescoberta.

A coragem é o medo transformado em prece

A mudança, em geral, parece terrivelmente ameaçadora, mas algumas pessoas mostram-se dispostas a seguir esse rumo, o da missão que pode parecer impossível. Todas têm algo em comum, uma qualidade sem a qual nenhuma delas sobreviveria: coragem.

A coragem talvez seja o atributo humano mais admirado, e no entanto é difícil defini-la. Talvez não precisemos defini-la, porque todos sabemos o que é a coragem... será que sabemos mesmo? Com frequência achamos que ter coragem significa não sentir medo, mas o oposto parece ser verdadeiro: *coragem é a capacidade de agir, apesar do medo*. Coragem é uma qualidade que necessitamos por causa do medo, ou seja, é como uma companhia ou apoio contra o medo. Poderíamos até mesmo dizer que a coragem é um resultado positivo do medo; o resultado negativo seria permitir-nos ficar paralisados.

A coragem é o medo transformado em prece, como alguém apropriadamente declarou. A veracidade simples dessas palavras me cativa. Quando se vê diante de uma tarefa ou situação aparentemente insuperável, a pessoa corajosa percebe os limites de seus recursos; entretanto, ela não pode evitar ou escapar da situação constrangedora. A preeminência do que precisa enfrentar obriga a pessoa a cair de joelhos, e embora a tarefa pareça impossível, algo dentro dela sente que não é bem assim. Quando a pessoa tenta lidar com o impossível, ela se vê diante de outra aparente impossibilidade: Deus. Como a tarefa que tem à sua frente excede os limites de sua capacidade, ela precisa recorrer a algo além desses limites, e aqui temos a origem da prece, ou oração. *A prece é uma postura corajosa diante de uma tarefa opressora*. A pessoa corajosa reza *porque* tem medo. Por conseguinte, a coragem é a qualidade de ser humilde e compreender os limites dos nossos recursos.

O herói tem fé em um terreno inexplorado

A coragem é uma qualidade fundamental em um herói; ou, mais precisamente, a coragem faz o herói: a pessoa que tem a capacidade de escutar sua essência mais profunda e agir de acordo com ela. Entretanto, por essa razão, essa pessoa pode entrar em conflito com o mundo que a cerca, de modo que o herói também precisa ter coragem para ficar sozinho. Ao enfrentar o medo, ele cria um novo caminho para si mesmo. Não pergunta o que deveria criar; em vez disso, o herói escuta sua essência mais íntima, seu núcleo humano, e corajosamente toma uma posição contra as instituições, estruturas e convenções existentes. Desse modo, o herói causa conflito e enfrenta oposição: sabotadores, inevitavelmente, o seguirão, enquanto ele percorre solitário seu trajeto. Os verdadeiros seguidores vêm depois; às vezes, o herói precisa até mesmo morrer para que o caminho que ele criou torne-se a estrada a ser percorrida. Muitos artistas me vêm à mente: Vincent van Gogh, por exemplo, que viveu pobre e atormentado, e cujas pinturas ninguém entendia enquanto ele viveu; hoje, suas obras só são acessíveis a pessoas ricas. Os heróis foram queimados na fogueira, pregados na cruz, publicamente ridicularizados, deportados de sua terra natal, desprezados, rejeitados, insultados e acusados de heresia.

Como mencionei, os heróis têm a maravilhosa capacidade de acreditar mais nos próprios sentimentos do que nas práticas institucionais. Quando se opõem às convenções, eles ameaçam a ilusão do controle e da falsa sensação de segurança que criamos. Nós, humanos, temos a tendência de impor padrões à vida, de sistematizar e subjugar o que um dia esteve intensamente vivo. O amor, por exemplo, algo que deveria nos deixar extasiados, evolui para o casamento, o qual na sua condição mais bela é sagrado, mas que no seu pior aspecto é um acordo legal desprovido de amor. (Como diz uma piada popular, o namoro pode terminar de duas maneiras: alegremente ou em um casamento.)

Analogamente, *a fé — um sentimento de ardente entusiasmo, grande paixão e desejo de aprimoramento* — evolui para a religião, um conjunto de regras para a conquista da salvação. A fé se torna religião quando Deus é substituído por um sistema de crenças mais conveniente e controlável. Em outras palavras, quando não estamos dispostos a viver diante de Deus, criamos uma religião que subjuga a fé e Deus, tornando-os algo que podemos controlar. De forma semelhante, a justiça social alcançada através do conflito e da luta passa a fazer parte da legislação, uma invenção torna-se uma patente, um movimento social vem a ser um partido político, uma revolução transforma-se em um sistema político, uma criação vira moda, uma percepção delicada torna-se uma tendência.

Quando um movimento ou questão transforma-se em uma instituição, perde o contato com seu propósito original, e a paixão e o brilho motivadores inevitavelmente diminuem. As instituições possuem vida própria. A burocracia é um excelente exemplo disso: diz-se que a burocracia se mantém tornando-se seu próprio objetivo; em vez de servir às pessoas, ela espera ser servida. O servidor público deixa de servir.

Um herói reconhece esses sistemas inertes que oferecem segurança, mas matam a espontaneidade. O heroísmo envolve desafiar essas instituições mortas que alimentam a conformidade incontestada, que oferecem aceitação somente àqueles que se agarram a padrões fixos, sempre fazendo as coisas do mesmo jeito que todo mundo. E assim, quando um herói se livra dessas algemas, os que se agarram aos sistemas começam a se sentir inseguros. Com a segurança ameaçada, eles reagem impetuosamente, podendo até mesmo se mostrar dispostos a matar o herói para proteger a ilusão de segurança proporcionada pela fortaleza vazia.

O príncipe interior encontra o dragão interior

A história nos fala de muitos homens e mulheres notáveis que mudaram o rumo da espécie humana por acreditar em coisas que ainda não eram conhecidas, mas que vieram a existir porque esses heróis defenderam obstinadamente suas convicções. Todos sabemos quem foram Martin Luther King Jr., Gandhi, Colombo, Galileu Galilei e Johann Sebastian Bach. Também sabemos quem foi Jesus de Nazaré.

Mas por acaso sabemos quem são fulano e beltrana? Também são heróis, embora o nome deles não seja mencionado quando a história é escrita. E por que são heróis? Porque, no final, o heroísmo consiste em ter a coragem de crescer: tornar-se um adulto significa desafiar as imagens internas de nossa infância.

Quando éramos pequenos, enfrentávamos a esmagadora superioridade dos adultos. Eles eram, para começar, fisicamente tão poderosos que éramos impotentes diante deles; seu conhecimento e aptidões também eram imensamente superiores aos nossos. Interiorizamos essas imagens dos nossos pais, as quais se transformaram em instituições internas, por assim dizer. Essas instituições nos davam segurança desde que fôssemos obedientes, desde que fizéssemos o que nossos pais desejavam ou determinavam. Quando éramos crianças, nossa vida dependia totalmente de nossos pais, e continuamos a alimentar esse sentimento por nossos pais interiorizados: ainda sentimos que nossa sobrevivência depende de fazermos a vontade deles.

Às vezes, esses pais interiorizados representam forças que impedem nossa independência. Precisamos, de alguma maneira, reunir coragem para desafiar e combater essas regras internalizadas que estão em conflito com nossa individualidade, destruindo nossa fonte de segurança na vida. Esse esforço para nos libertar do convencionalismo interiorizado é descrito em muitos contos de fadas nos quais o príncipe precisa lutar contra um dragão, que representa os pais terrivelmente poderosos; o príncipe representa a liberdade, a individualidade, a independência e a idade adulta. No dragão, o príncipe enfrenta uma esmagadora superioridade, com o dragão possuindo o mesmo poder exercido por seus pais sobre ele quando criança.

O príncipe é a imagem arquetípica de um herói: quando derrota o dragão, sua individualidade sobrepuja o convencionalismo interior. Vemos aqui que o heroísmo é, na realidade, uma questão comum; cada dia é um campo de batalha no qual nosso príncipe interior encontra nosso dragão interior. Mas o que esse heroísmo do dia a dia poderia significar na prática?

Os heróis têm coragem de se aproximar do seu eu autêntico

O herói, por exemplo, é uma pessoa que tem coragem de terminar um casamento fracassado. O herói tem coragem de fazer isso apesar da reprovação social: sem dúvida, algumas pessoas irão encará-lo como irresponsável ou até mesmo errado. Entretanto, ele acredita nos seus sentimentos mais profundos, que lhe afirmam que a ausência do amor é um pecado, mas também é pecado manter um acordo apenas por causa das aparências, com medo do crescimento e da mudança. Muitos cristãos bem-intencionados se opõem ao divórcio não porque ele seja pecado, mas porque enfrentar a possibilidade do divórcio em suas vidas exigiria que confrontassem seus medos. Eles se escondem atrás de grandes palavras, como Deus e moral, para não terem que enfrentar seu medo; escondem-se sob uma capa de virtude para se proteger, pelo menos temporariamente, da necessidade interior ou da pressão para mudar. Eles parecem motivados por boas intenções, mas sua verdadeira motivação é o medo.

Nada disso é novo. Os fariseus tentaram intimidar Jesus com sua religião e sua descendência como os sucessores de Abraão. Mas Jesus recusou-se a ser intimidado, pois, como disse João Batista, Deus pode fazer nascer das pedras filhos de Abraão. Quando a fé se torna uma instituição, ela se transforma em religiosidade, que raramente tem espaço para Deus. Além disso, a rígida religiosidade raramente é uma ferramenta prática para a vida. Muitos cristãos que condenam o divórcio estão na realidade aprisionados em casamentos carentes de amor, que eles, por medo de serem considerados fracassados e pecadores, não ousam terminar. Mas Deus é amor: Ele quer a presença do amor na nossa vida, e não de uma instituição vazia que é apenas chamada de amor.

O herói pode ter a coragem de não se divorciar, mesmo que todas as outras pessoas achem que ele deveria fazê-lo. Se verdadeiramente acredita que o problema no casamento pode ser solucionado e superado, ele é um herói por permanecer e dar atenção à sua convicção interior. Se sentir que essa é a coisa certa e amorosa a fazer, deve fazê-la, mesmo que pessoas "bem-intencionadas" venham a desprezá-lo por isso. O maior mal do mundo é a maldade disfarçada de bondade, mas nosso herói não dá atenção a ela.

O herói tem coragem de pedir demissão de um emprego no qual não se sente à vontade e onde parece pouco provável que ocorra alguma mudança para melhor. Antes de tomar essa decisão, contudo, ele terá oferecido aos colegas de trabalho oportunidade de abordar as questões que estão provocando desarmonia. Ele não foge dos problemas no local de trabalho. No entanto, se nenhuma mudança ocorrer, ele não está disposto a sacrificar nem a si mesmo nem a saúde; sai daquela empresa, embora muitas pessoas possam achar que ele é maluco por abandonar a segurança de uma renda regular. Ele corre o risco, vivendo perigosa e criativamente, esperando com avidez o que irá acontecer quando levar a sério seu valor pessoal e for verdadeiro consigo mesmo em vez de se conformar em silêncio com a situação.

O herói também tem coragem de correr o risco de ser rejeitado ao expressar sua raiva em situações nas quais ele sempre fora dócil e bonzinho. Ele compreende que a paz a qualquer custo não é necessariamente a melhor solução; às vezes, precisamos romper a paz criando uma crise, caso só tenhamos conseguido manter a harmonia evitando questões difíceis. Essa paz é sempre uma opção pior do que trazer à tona a verdade ao enfrentar os problemas como realmente são. Expressar a raiva acaba com a delicadeza artificial que sufoca qualquer oportunidade de mudança e crescimento. Tolerar todas as injustiças e falhas estruturais em uma organização não constitui lealdade; pelo contrário, a verdadeira lealdade para com o local de trabalho envolve lidar com todas as dificuldades que o grupo precisa superar para poder crescer e se desenvolver. O herói tem coragem de fazer uma situação estagnada mudar.

O heroísmo também diz respeito a revelar nossa vulnerabilidade. Quando a expomos, nos tornamos mais sinceros: quando alguém nos magoa, temos coragem de demonstrar que estamos magoados. Uma pessoa aparentemente forte pode agir como se nada tivesse acontecido; depois, os sentimentos de mágoa que ela ocultou tornam-se um obstáculo à intimidade. Quando ela volta a se encontrar com a pessoa cujas ações a magoaram, seu sorriso não é mais natural; algo se interpôs entre as duas.

Sinceridade emocional significa que levamos nossos sentimentos a sério, e os comunicamos aos outros, o que cria a verdadeira intimidade. É claro que a sinceridade emocional também pode nos causar dor, pois sempre algumas pessoas vão querer tirar vantagem dessa vulnerabilidade e nos humilhar, para parecerem melhores. Entretanto, o herói não é apenas corajoso, mas também sensível e livre para usar seu discernimento de maneira a reconhecer aqueles que se aproveitam da vulnerabilidade.

Heroísmo também pode significar falar quando antes permanecíamos em silêncio ou ficar em silêncio quando antes mal podíamos esperar para abrir a boca. Podemos decidir dar nossa opinião a respeito de alguma coisa que precisa ser abordada, mas que os outros estão fazendo o possível para evitar, ou podemos escolher simplesmente ouvir e acreditar que seremos reconhecidos, embora não estejamos nos comportando de maneira a chamar a atenção. O silêncio é, com frequência, mais sábio do que as palavras; uma vez mais, o herói é livre para usar seu discernimento.

Heroísmo pode significar ter fé quando antes éramos descrentes. A fé, quando assumida abertamente, nos torna vulneráveis; o ceticismo é uma maneira de ocultar nossa vulnerabilidade. A pessoa cética espera ser vista como intelectual e sofisticada; ela tem horror de parecer infantil ou ingênua. Nos círculos intelectuais, ser infantil — ou seja, agir como uma criança livre e confiante — requer imensa coragem; não obstante, as maiores verdades da vida só são reveladas às pessoas que se comportam como crianças — os céticos pedantes precisam se conformar com falsificações criadas por eles mesmos.

Também é preciso coragem para escolher não acreditar em supostas verdades e dogmas proclamados por uma autoridade. As seitas religiosas são exímias em manipular a realidade quando a verdade pura apresenta uma ameaça que elas acreditam que precisa ser eliminada. O herói tem coragem de enfrentar verdades que destroem a arrogante presunção das nossas autoridades religiosas. Como podemos ver nesses exemplos, tanto a fé infantil quanto o pensamento sensato podem exigir coragem, dependendo do tipo de crentes cegos que nos cercam.

O silêncio é de ouro
Ultimamente, tenho ficado fascinado com uma forma específica de heroísmo: o tipo que se recusa a se apressar. Vivemos em uma sociedade na qual a pressa crônica predomina. A falta de tempo tornou-se uma indicação de importância e uma maneira de aumentar a autoestima. Se você não estiver permanentemente apressado, não é ninguém. Se sua agenda ou sistema de gerenciamento do tempo não estiverem lotados, você não é nada. Se o seu celular não toca o tempo todo, você tem motivos para duvidar da sua existência. Se não estiver ocupado, você é simplesmente inútil.

Estou passando, no momento, por grandes mudanças. Estou desenvolvendo um programa de treinamento de quatro anos para ensinar profissionais das áreas voltadas para o bem-estar dos clientes a lidar com esses como *pessoas*, não como pacientes ou outras entidades administrativas. Muitas coisas exigem minha atenção: telefonemas, e-mails, cartas, entrevistas... Ao mesmo tempo, também tenho o compromisso de escrever um livro, mas o trabalho criativo requer um estado mental relaxado, sem pressa: silêncio, espaço, calma para pensar. No entanto, essa tranquilidade é escassa se permitirmos que os assuntos do dia a dia nos controlem, em vez de nós os controlarmos. Mas tenho coragem de criar condições para o pensamento criativo? Tenho coragem de dizer não? Tenho coragem de penetrar em um silêncio no qual meu celular não toca, minha agenda tem espaços em branco apropriados e ninguém me assegura que sou uma pessoa extremamente importante e essencial? Ficar indisponível exige grande coragem, porque, ao fazer isso, fechamos a porta para projetos potencialmente interessantes; se nos comprometermos com um, acima de tudo, não podemos nos comprometer com centenas de outros ao mesmo tempo.

Esse estado mental de tranquilidade não acontece simplesmente; precisamos escolher criar o silêncio e o tempo. Entretanto, desafiar o estilo de vida predominante exige coragem. Muitas pessoas sonham em deixar a corrida destrutiva; falam repetidamente sobre o assunto, desejando ardentemente fazê-lo, mas poucas efetivamente põem a ideia em prática. Por quê? Porque, ao abandonar o que é considerado normal, entramos em uma grande solidão, em um terreno intransitável, o que é sempre assustador. Quando entramos nesse terreno, podemos ver as pegadas de um dragão, e sabemos que mais cedo ou mais tarde vamos ter de enfrentar esse monstro.

O caminho do herói é solitário
O herói abandona a segurança de ver as novas roupas do imperador. Quando afirma que o imperador está nu, ele se separa da sua comunidade e perde a segurança e o apoio que ela lhe oferecia. Ele se coloca na dolorosa solidão que surge quando nos opomos a regras e instituições. Na realidade, talvez o herói seja uma criação da comunidade, criação necessária para a renovação. Será possível que depois que o propósito original de uma instituição se extingue

e começa a sufocar a vida o subconsciente coletivo cria a demanda por um herói disposto a ingressar nessa enorme solidão arquetípica? Não existe heroísmo sem solidão. Esta indica que algo genuinamente novo está sendo criado, algo fora do antiquado convencionalismo que prevalece.

Jesus enfrentou essa solidão arquetípica na cruz: "Meu Deus, meu Deus, por que me abandonaste?" Essa experiência de solidão é nossa indicação mais segura de que ele verdadeiramente criou algo novo. O grito que emitiu da cruz foi o grito da criação. Ele diz que alguém na humanidade afastou-se de tudo que é seguro e conhecido neste mundo, criando uma ligação entre a Terra e o céu, gerando a oportunidade de nascermos de novo, a partir de cima. Para realmente crescer, precisamos estar dispostos a enfrentar essa solidão arquetípica, e nossa boca precisa lançar o brado da criação. Sem heroísmo, não há crescimento, não existe vida.

Um desastre nem sempre é um desastre

Se desejamos recuperar nossa vida autêntica, precisamos estar dispostos a enfrentar a solidão heroica. Essa atitude desencadeia sentimentos de imensa insegurança, motivo pelo qual frequentemente nos agarramos à segurança que o convencionalismo oferece: fazemos o que os outros fazem e nos curvamos fortemente diante das instituições que recompensam nossa lealdade. Mas o que acontece quando essas instituições começam a nos sufocar? O que acontece quando a segurança se transforma em uma prisão na qual perdemos a sensação de estar vivos? O que acontece quando a corrente da vida deixa de circular à nossa volta e a água estagnada começa a cheirar mal?

Quando superamos os obstáculos da vida, geralmente passamos a dar valor a coisas novas e diferentes, e nossos valores se aprofundam. Isso pode acontecer, por exemplo, quando um ente querido morre ou um bebê nasce; a vida está presente de uma forma tão intensa, tanto na vida quanto na morte, que teríamos que estar completamente entorpecidos para não percebermos esse fato.

Uma catástrofe também pode ocorrer sob a forma de desemprego, doença, um acidente, do alcoolismo ou do divórcio. Todos os exemplos são crises que podem abalar tão profundamente nossa vida que na realidade nos dão oportunidade de recomeçar. Essas experiências parecem, a princípio, cruéis e fora de propósito, mas podemos nos sentir gratos depois. Por quê? Porque essas catástrofes abalam a segurança que construímos precisamente para evitar a insegurança inerente à vida.

Não é raro que as pessoas rezem automaticamente quando enfrentam uma crise. A prece é um apelo para que alguém nos ajude a seguir em frente quando não temos mais forças para conduzir a nós mesmos; em outras palavras, a busca e a fé parecem surgir quando nos sentimos arrasados. Nossa vida e nossos valores se aprofundam quando chegamos perto de atingir nossos limites. Acho que é válido afirmar que as catástrofes podem até mesmo nos trazer de volta à vida.

Em vez de esperarmos ser atingidos por uma catástrofe, podemos aprender a criar calamidades menores para permanecermos vivos; podemos aprender a fazer escolhas que nos impeçam de entrar em hibernação, um estado sonolento de falsa segurança. O que isso significa? Basicamente, a mesma coisa que ser heroico: quando demolimos o que nos dava segurança, criamos uma insegurança que nos leva a buscar uma fonte de segurança profunda, uma segurança mais verdadeira e duradoura. Se nos agarrarmos desesperadamente às estruturas de segurança que construímos, jamais descobriremos se essa verdadeira segurança efetivamente existe. Se nunca fizermos nada que nos apavore, se sempre escolhermos o que faz com que nos sintamos seguros e à vontade, sem jamais encarar nossos limites, nunca cresceremos.

O heroísmo envolve procurar situações que despertam o medo, que nos possibilitam entrar em contato com nossos receios. Temos medo do que não conseguimos controlar, por isso nossos temores indicam a direção que deveríamos escolher no nosso esforço para crescer. Quando começamos a experimentar coisas que nos apavoram, perdemos o controle. Se nosso medo sufocou nossa vida, essa é a melhor coisa que poderia nos acontecer.

Mas o que nos causa tanto medo?

Nossos sonhos nos dizem quem seremos no futuro

Nossos receios estão misteriosamente associados ao futuro que visualizamos, e nossos sonhos fazem parte da personalidade autêntica, ainda desconhecida, que aguarda dentro de nós para nascer — e que nos amedronta. Temos dificuldade em nos identificar com nosso verdadeiro eu porque nunca tivemos chance de explorar nosso ser autêntico. Muitos de nós fomos criados em um ambiente no qual apenas uma pequena parte de nós era reconhecida, de modo que somente uma minúscula parte do eu autêntico adquiriu vida; entretanto, nossas qualidades em gestação e desconhecidas ainda fazem parte de nós. Nossos sonhos são indícios desse desconhecido em nosso interior.

O herói presta sincera atenção aos seus sonhos e tem coragem de segui-los. Ele fundamenta suas escolhas nos seus sonhos e se envolve tão intensamente com suas visões interiores que elas começam a se realizar. Ao fazer isso, o herói entra em conflito tanto com convencionalismo da sua comunidade quanto com o convencionalismo interno: embora algo dentro dele acredite na visão, outra coisa não acredita. Esse é o momento em que ele precisa se tornar um herói e lutar com o dragão interior, permanecendo fiel aos seus sonhos.

O herói entra em conflito com aqueles que decidiram não escutar seus sonhos e escolheram, ao contrário, a falsa segurança. Quando o herói, apesar de lhe ter sido enfaticamente recomendado que não o fizesse, se põe em campo para combater o dragão, ele faz com que aqueles que estão se agarrando à segurança da própria escolha se lembrem da decisão que tomaram de permanecer estagnados e não lutar.

Ter fé significa ter coragem

A fé se origina do heroísmo do dia a dia: se estivermos dispostos a demolir nossas estruturas de segurança fazendo escolhas corajosas, enfrentaremos uma terrível insegurança. Como foi observado, a coragem é o medo transformado em prece. Quando o herói vive de forma perigosa e criativa, precisa ter fé em algo maior do que ele mesmo.

Carecemos de fé e espiritualidade na nossa cultura não tanto porque a fé seja menos valorizada do que o intelecto (de acordo com a opinião de que para ser um crente você precisa ser idiota e ingênuo), mas porque é difícil acreditar que mesmo se ficarmos sem forças de alguma maneira seremos conduzidos.

Na realidade, a fé é complicada, porque temos muita dificuldade em acreditar que somos amados. A questão de Deus é basicamente uma questão de amor: se não acreditarmos que somos conduzidos por um Deus amoroso, jamais teremos coragem de realmente viver. Tentaremos controlar a vida em vez de simplesmente vivê-la. No entanto, só poderemos encontrar a segurança se enfrentarmos nossa insegurança.

CAPÍTULO 4
Aquilo de que você desiste lhe será dado

Na nossa cultura, a posse e as coisas materiais se tornaram uma forma de construir uma identidade. O materialismo é a religião do nosso tempo; nos voltamos para ele em busca de significado e importância, como se tivéssemos perdido o contato com nossa essência humana e, portanto, perdido a chance de viver uma vida mais profunda. Isso cria um vazio, que tentamos preencher com a abundância material: parecemos pensar que quanto mais bens materiais tivermos, melhor será nossa vida.

Entretanto, como todos sabemos muito bem, a abundância superficial não é capaz de compensar a ausência de uma vida profunda. Na realidade, o oposto parece ser verdadeiro: quanto mais riquezas materiais acumulamos para ocultar nosso mal-estar emocional, pior parecemos nos sentir.

A angústia não pode ser aliviada com medidas externas, por mais que tentemos nos embelezar. Qual a ligação entre nosso bem-estar interno e o externo? Será que existe uma relação entre eles? Por exemplo, se o sucesso exterior não conduz necessariamente ao sucesso interior, o que o faz? E o sucesso exterior acompanha automaticamente o sucesso interior? Em outras palavras, quando nos sentimos melhor emocionalmente, nossa probabilidade de atrair o sucesso material aumenta? Isso dá origem a uma pergunta ainda mais instigante: uma pessoa rica pode se sentir bem emocionalmente ou a riqueza material acarreta necessariamente a angústia emocional? Esta pergunta pode parecer engraçada ou até mesmo absurda — dependendo da riqueza acumulada em questão —, mas é justificada, já que nossa cultura se baseia na valorização da riqueza material. Assim sendo, é *de fato* possível para nós sermos ricos e, ao mesmo, sentir-nos bem emocionalmente? Se a resposta for afirmativa, que tipo de pessoa possui os recursos emocionais para lidar com a riqueza material?

> **"Mas buscai primeiro Seu reino, e Sua justiça, e todas essas coisas vos serão dadas em acréscimo."**

O Novo Testamento dá uma resposta interessante para nossas perguntas, então vamos analisar mais detalhadamente o versículo citado. Afinal de contas, a existência desse versículo indica que essas perguntas já eram relevantes muito antes de a civilização ocidental criar a religião das aquisições.

"Todas essas coisas nos serão dadas?"

De acordo com minha interpretação, a expressão "todas essas coisas" faz referência aos bens terrenos, os quais nós, ocidentais, tornamos o principal conteúdo da nossa existência e que acreditamos ser a fonte de uma boa vida. Esses bens materiais nos "serão dados"; em outras palavras, segundo Jesus, não podemos alcançar a riqueza esforçando-nos para isso. Jesus vira nossa hierarquia de valores de cabeça para baixo, tornando os bens materiais uma questão secundária que não precisamos nos esforçar para obter. Em vez disso, eles nos "serão dados" quando nossos valores se colocarem na ordem correta, ou seja, quando "buscarmos primeiro seu reino".

Mas o que é esse reino misterioso? Para que possamos buscar esse reino, como recomenda Jesus, provavelmente deveríamos ter alguma ideia do que ele é; afinal de contas, a procura sempre visa encontrar alguma coisa, e não podemos procurar uma coisa que não temos a menor ideia do que seja. Jesus frequentemente se referia ao "seu reino" ou ao "reino celestial". Essa escolha de palavras induziu ao erro muitos dos seus contemporâneos: eles começaram a aguardar algo visível, na esperança de que uma revolução messiânica tivesse lugar e libertasse Israel de Roma.

Até mesmo hoje em dia o significado ainda não está claro. As palavras de Jesus evocam o tipo de reino distante do conto de fadas pelo qual ansiávamos quando crianças, o mundo de ruas douradas e belos anjos etéreos da escola dominical. Muitas pessoas acham que buscar o reino celestial, necessariamente, significa que elas devam se tornar religiosas, adotando hábitos e rituais religiosos; no entanto, Jesus descartou esse tipo de religiosidade, dizendo, por exemplo, que o Shabat foi feito para o homem, não o homem para o Shabat. Ele quis dizer que as regras e os hábitos religiosos não deveriam se tornar importantes a ponto de tornar-nos seus escravos.

Sem dúvida, o conceito de um reino celestial pode ser deturpado se o transformarmos na manifestação de uma fantasia deslumbrante ou de uma religiosidade criada pelo homem, numa forma pouco saudável de autossuficiência. Entretanto, poderia o misterioso reino a que Jesus se referiu significar algo muito maior? Poderia ser algo que tem importância na nossa vida diária? Será que entender esse conceito, mesmo que um pouquinho, traria alívio à nossa insatisfação emocional? Na verdade, toda a mensagem do cristianismo parece estar voltada para o dia a dia, para nossa vida no aqui e agora; os mundos divinos dos contos de fadas pouco têm a nos oferecer quando procuramos ajuda para nossa angústia. Mas como podemos desvendar o verdadeiro significado prático do reino celestial? Parece impossível definir esse reino, mas talvez possamos reunir diferentes aspectos e verificar a imagem que eles criam.

"Seu reino?"

Em primeiro lugar, o reino celestial parece ser algo que existe dentro de nós: traduzida do grego, a expressão que Jesus usa significa "dentro de vós" ou "entre vós" — não em alguma longínqua esfera lendária, mas sim "mais perto de mim do que estou de mim mesmo", como declarou de uma forma tão bela Santo Agostinho. Se o reino celestial está entre nós, ele precisa estar onde vivemos nossa vida do dia a dia: esse reino se encontra no meio da nossa interação e comunicação; ele está no que eu digo para você e você para mim; ele é o que somos um para o outro e o que fazemos um ao outro.

Em outras palavras, esse reino celestial está presente na maneira como cumprimentamos o caixa do supermercado. Ele se encontra no sorriso que damos para a pessoa que está sentada ao nosso lado no ônibus em uma manhã de segunda-feira. Pode estar presente na maneira como deixamos um carro passar na nossa frente em um congestionamento de trânsito, quando assamos um bolo para nossa família ou arrumamos a mesa. Pode até mesmo estar presente na nova camisa colorida que decidimos usar, embora tenhamos receio de que a cor vá chamar a atenção e nos tornar excessivamente visíveis. Talvez o reino celestial também esteja presente na maneira como deixemos o jornal de lado e sorrimos, alegres, para a criança que brinca aos nossos pés.

Embora presente de todas essas maneiras concretas, o reino celestial é, ao mesmo tempo, algo que não se submete ao nosso controle: ele é sempre mais amplo do que nossas tentativas de defini-lo e, portanto, controlá-lo. Podemos interpretar psicologicamente esse reino e seus efeitos, mas nunca poderemos compreendê-lo completamente; podemos sentir esse reino e ser tocados por ele, mas jamais poderemos apreender ou controlar esses contatos. O reino celestial desperta nosso assombro e admiração, mas também pode estimular nossa impaciência e irritação, porque ele foge ao nosso controle. Por esse motivo, podemos assumir uma posição contrária ao reino celestial e tentar sabotá-lo ou negá-lo. Podemos até mesmo odiar ou desprezar esse reino, e tentar destruí-lo.

O reino celestial, que representa a verdade, também pode despertar medo ou respeito, mostrando-nos nus e vulneráveis. Podemos ser dominados e ficar fascinados por esse reino; ele pode acender em nós uma chama que muda nossa vida. Ou pode parecer ameaçador, enquanto horroriza, rompe barreiras e gera o conflito.

Acima de tudo, o reino celestial diz respeito ao amor: ele nos aproxima e cria intimidade. O reino celestial é, na verdade, o reino do amor: se vivermos na fé, viveremos no amor, pois viver na fé significa acreditar que somos amados. E não podemos amar os outros enquanto não estivermos convencidos de que somos amados. Somos amados quando entramos no reino celestial e vivemos nele com amor, e a fé é o instrumento ou veículo que nos conduz a ele.

A fé também nos dá esperança. *Ter esperança significa esperar coisas boas no futuro e acreditar que também seremos amados.* A essência da fé e da esperança é, portanto, a mesma: ser amado.

O reino celestial é algo pelo qual ansiamos profundamente, porque alguma coisa nas profundezas do nosso ser não encontra um lar nesta Terra. É como se algo dentro de nós não tivesse sido feito para este mundo — um vazio interior que somente o reino celestial é capaz de preencher. Por conseguinte, a presença do reino celestial desperta sentimentos poderosos de uma volta ao lar: nele encontramos nossa verdadeira identidade. Fomos criados à imagem de Deus, e podemos encontrar essa imagem nas nossas profundezas, onde reside nosso eu autêntico. Nosso anseio pelo reino celestial reflete a existência dessa identidade mais profunda; é por esse motivo que o reino celestial também é chamado de *lar* e de *nosso lar celestial* — ele nos concede consolo, significado e rumo. Nem mesmo a morte controla nosso relacionamento com esse reino, que abarca a divisão entre a vida e a morte como a conhecemos, sugerindo, portanto, algo maior do que a vida que hoje experimentamos.

Tudo isso é o reino celestial que devemos buscar. Mas o que significa procurar esse reino?

"Mas buscai primeiro"?

Para que procuremos uma coisa, esta precisa despertar nosso interesse e nossa curiosidade. Procurar implica em concentrar a atenção em algo e agir nessa direção; a busca envolve persistir, não desistir, mesmo que não façamos descobertas imediatas. Buscar também envolve a esperança: precisamos estar convencidos de que um dia encontraremos o que estamos procurando, caso contrário nossa busca seria em vão; caso descobríssemos, com certeza, que o objeto da nossa busca deixou de existir, interromperíamos a busca imediatamente.

A busca tem a ver com a espera, uma espera paciente, mas também é um processo ativo que requer a faculdade inventiva: precisamos pensar constantemente em maneiras novas e criativas de procurar na direção certa. A busca frequentemente envolve o entusiasmo, a expectativa da alegria de encontrar o que procuramos. O entusiasmo é a força motriz por trás da busca, a energia que nos faz continuar, apesar dos contratempos. Mas o processo da busca também envolve o desapontamento e a desesperança: podemos tomar a decisão de desistir, de nunca mais desperdiçar um único pensamento no que estávamos buscando — até que surge um novo incentivo e retomamos nossa busca.

"Buscai primeiro Seu reino?"
Se combinarmos agora os diferentes aspectos da busca e do reino celestial, o que veremos? Poderemos chegar à seguinte conclusão:

Procurar o reino celestial é um desejo incessante de encontrar a verdade inexplicável que vislumbramos interiormente.

Essa definição nos informa que o reino celestial está dentro de nós. Esse reino é inexplicável; pode ser vislumbrado, mas não apreendido. Ao mesmo tempo, entretanto, o reino celestial é tão poderoso que continuamos em sua busca apesar da frustração e do desapontamento. O reino celestial também explica a natureza da nossa existência; procurá-lo, significa buscar a verdade a respeito da essência do nosso ser. Poderíamos também descrever a busca do reino celestial como um processo dinâmico: ele consiste mais em avançar *em direção* a um destino do que em efetivamente *chegar* a ele.

"Mas buscai primeiro Seu reino, e Sua justiça, e todas essas coisas vos serão dadas em acréscimo." O que isso poderia significar? Talvez Jesus estivesse dizendo algo mais ou menos assim:

Busquem, primeiro, o que está do lado de dentro, o que deixa sua alma empolgada; procurem o que os deixa maravilhados e vocês não conseguem controlar. Procurem o amor, criem a comunhão, sejam sinceros e revelem sua vulnerabilidade, mesmo que isso possa ser doloroso; o amor dói, mas a dor vai curá-los. Por conseguinte, sejam humildes, indefesos e confusos, e quando tudo parecer sem esperança, acreditem que serão carregados. Nunca abandonem a esperança; busquem aquilo em que acreditam nas profundezas do seu ser, embora isso possa parecer impossível.

"Buscai primeiro Seu reino" poderia significar tudo isso.

"Venha a mim o meu reino, seja feita a minha vontade!"

A maior tragédia da humanidade é que não sabemos que moramos no reino celestial; em outras palavras, não acreditamos que somos amados. Não sabemos que estamos destinados a viver com a consciência de que somos carregados. Portanto, tomamos a vida em nossas mãos e começamos a construir "nosso reino", de modo que nossa prece diz o seguinte: "Venha a mim o *meu* reino, seja feita a *minha* vontade, assim na Terra como no céu." Isso significa que nós *buscamos* "todas essas coisas" em vez de acreditar que elas *nos serão dadas*.

Quando entramos no nosso reino, perdemos a oportunidade de viver uma vida profunda, e também a chance de ter uma identidade autêntica, porque somente nas nossas profundezas podemos encontrar nosso verdadeiro eu e a vida que estávamos destinados a viver. Se desejamos viver uma vida de qualidade, precisamos viver uma vida profunda, e para encontrar essa profundidade temos que nos voltar para nosso interior. Não podemos compensar a falta de profundidade na nossa vida concentrando-nos no que é superficial. A resposta às perguntas que fizemos no início do capítulo é não: procurar e alcançar o sucesso exterior não produz a satisfação interior. A vida bem-sucedida tem mais a ver com o interior do que com o sucesso. Na realidade, o apego ao sucesso exterior pode ser um indício do fracasso interior: quanto maior a necessidade de acumular símbolos de sucesso, maior o fracasso. Se investirmos tudo no que temos externamente, perdemos nossa vida interior; e quando perdemos a vida interior, perdemos nosso eu. Jesus perguntou: "De que servirá ao homem ganhar o mundo inteiro se perder sua alma?"

Perder a vida interior significa perder a paz de espírito, o que sempre conduz à perda de significado: quando não estamos conectados à nossa essência humana, deixamos de saber por que vivemos. A vida das pessoas extremamente ricas é, com frequência, uma trágica luta contra a solidão e o vazio. O sucesso absoluto na vida exterior pode produzir um desastre absoluto na vida interior. Que exemplos melhores podemos dar do que as tragédias de Elvis Presley e Marilyn Monroe? O mundo inteiro os admirava, mas ambos acabaram destruindo a si mesmos.

O nosso eu interior pode passar despercebido

Nem sempre nos damos conta quando perdemos nossa vida interior. A vida parece vazia, mas achamos que temos essa sensação porque ainda não adquirimos o suficiente, o que é frequentemente verdade com relação às pessoas que, para início de conversa, não têm consciência de uma vida interior. Aqueles que passaram a infância em uma casa desprovida de amor podem estar completamente ignorantes de que têm uma profundidade interior, pois só podemos encontrar essa dimensão em uma interação amorosa com as outras pessoas. Quando não temos nenhum contato com essa profundidade, sentimos que estamos deixando passar alguma coisa, mas não sabemos exatamente o quê. Tudo simplesmente parece vazio. Para preencher esse vazio recorremos a vários expedientes, todos com algo em comum: a autossuficiência nociva, a perseguição do "meu reino". Entre os expedientes mais comuns estão o álcool, o trabalho, o dinheiro, cargos importantes, o conhecimento, realizações, a paixão, a comida, a musculação, a decoração da casa, o sexo, a internet, o poder, a religião, as drogas, as compras, as viagens e a diversão, todos com promessas irresistíveis de uma vida de qualidade.

Essas coisas não são inerentemente más; elas são em geral neutras ou até mesmo boas — quando usadas com sabedoria. O álcool promete prazer, alívio e diversão. O dinheiro oferece a oportunidade de satisfazer necessidades e realizar sonhos. Apaixonar-se gera emoção e sentimentos intensos; a religiosidade acrescenta profundidade e significado à nossa existência. A internet promete aventura, novos contatos e oportunidades, bem como um mundo mais amplo. Os empreendimentos geram apreço e contatos com pessoas interessantes. A comida é absolutamente necessária para a nutrição e a continuação da vida; o sexo oferece sensualidade e uma profunda conexão — além, é desnecessário dizer, da procriação e das famílias.

Nossas necessidades nos tornam vulneráveis

Nós nos esforçamos por obter coisas que melhorem nosso bem-estar e nossa qualidade de vida, satisfazendo necessidades saudáveis e naturais. Nossas necessidades são abundantes e refletem nossa humanidade, mas nos tornam vulneráveis. Quando temos necessidade de alguma coisa, sempre precisamos que ela venha *de alguém*; sem essa conexão, não podemos experimentar a intimidade ou a verdadeira apreciação. Nossas necessidades são o motivo por trás do amor, porque nos colocam em contato com os outros: para sermos vistos e ouvidos, precisamos de alguém que nos veja e nos ouça. Em outras palavras, nossas necessidades mantêm o amor, uma dependência saudável entre as pessoas. Talvez não seja incorreto afirmar que nossas necessidades humanas nos levam a buscar o reino celestial, o reino do amor.

Como nossas necessidades nos tornam vulneráveis, frequentemente ficamos desapontados; nem todas as pessoas são confiáveis e tampouco podem nos dar o que precisamos. Além da decepção que sofremos, somos alvo de maus-tratos, zombaria e até mesmo de abandono; se isso acontece na infância, perdemos a oportunidade de ter experiências que nos levem a sentir-nos bem e seguros quando estamos perto de alguém. Se formos feridos com muita frequência, começamos a sentir que os outros são perigosos e que é melhor esconder nossas verdadeiras necessidades e tornar-nos fortes e independentes. Desse modo, nossas necessidades humanas permanecem insatisfeitas. Isso, por sua vez, causa uma doença emocional cuja verdadeira natureza não conseguimos entender, de modo que procuramos cuidar de nossos sentimentos com algo que prometa conforto e alegria, como, por exemplo, o álcool, o respeito ou o sexo. Nós nos cuidamos da forma errada: não buscamos o "reino celestial" e sim "todas essas coisas". Entretanto, não deveríamos *buscar* "todas essas coisas" porque "todas essas coisas" *nos serão dadas*. O bem terreno deveria ser um subproduto, não uma prioridade.

Quando nossos valores se tornam superficiais e tomamos a vida nas nossas próprias mãos, tentamos resolvê-las sem apoiar-nos nos outros, ou seja, sem amor. Perseguimos *nosso* reino, agarrando-nos obsessivamente a tudo que julgamos ser a fonte mais profunda do prazer. Quando nossos valores estão na ordem certa, "buscamos primeiro Seu reino", ou seja, concentramos a atenção na verdade inexplicável que vislumbramos interiormente.

Quando o amor se retrai, tomamos a vida em nossas mãos

Ouvimos dizer que nossos valores se tornaram superficiais, mas o que isso significa? O que são valores superficiais e o que são valores profundos? O amor é o valor mais profundo que existe neste mundo; tudo mais deveria se basear nesse fato: devemos "buscar primeiro" o reino do amor. Quando esse valor se encaixa no lugar certo, *tudo* mais se encaixa no lugar, e "todas essas coisas" que fazem promessas celestiais de uma vida de qualidade — como o dinheiro, o sexo e o poder — encontram seu contexto adequado, seu verdadeiro valor e significado.

Mas quando nossos valores são superficiais, "todas essas coisas" se tornam um fim, não um meio de chegar ao fim. Queremos o dinheiro pelo dinheiro em si, não como um meio para alcançar um bem maior. Ao fazer isso, separamos o dinheiro do seu propósito original, que é o de servir aos outros, reduzindo-o a uma maneira de buscar o prazer egoísta. O dinheiro passa a não estar mais a serviço do amor.

O mesmo acontece com o sexo, o qual separamos da sensualidade erótica. O sexo deixa de ser um encontro profundamente sensual entre duas pessoas; em vez disso, as duas pessoas usam uma à outra para satisfazer suas próprias necessidades, e ambas sentem um vazio: a mais absoluta ausência de uma intimidade profunda e de uma interação expressiva.

As interações são abandonadas

As impressões tornam-se importantes quando nossos encontros com os outros carecem de uma interação genuína e de um diálogo — ou seja, de amor. Nesses encontros, nossa intenção não é verdadeiramente encontrar a outra pessoa, e sim causar uma impressão favorável. Nenhuma interação é necessária quando usamos os outros para aperfeiçoar nosso próprio valor: a outra pessoa não é um sujeito, é um objeto.

Além disso, o prazer egoísta torna-se mais desejável do que a verdadeira interação. Quando usamos substâncias químicas para produzir um prazer confortável, tentamos satisfazer nossas necessidades humanas sem uma comunhão. Usar drogas e beber torna-se uma maneira de fugir da intimidade, e quando evitamos a interação genuína deixamos de revelar nossa vulnerabilidade; podemos precisar dos outros apenas como companheiros de bebida, cuja companhia alivia a culpa que sentimos com relação ao nosso próprio hábito.

Quando o amor não mais orienta nossas interações com os outros, o poder se extravia. Originalmente concebido como um meio de servir aos outros, o poder torna-se um meio em si mesmo, um instrumento que só atende aos seus próprios objetivos. Fora do contexto do amor, separamos o poder do seu propósito original: a responsabilidade. O poder adquirido por intermédio da responsabilidade e do serviço é poder com amor. Sem essa responsabilidade, o poder é arbitrário, causando danos, má conduta, injustiças e até mesmo violência.

Os padrões de conduta se tornam flexíveis

Quando nossos valores se tornam superficiais, nossos padrões de conduta se tornam flexíveis: nada é absoluto; tudo depende da opinião pessoal e do ponto de vista que escolhemos. Tudo é relativo, e podemos fazer o que bem entendemos, porque nada realmente importa muito no final. O importante é sentir-nos bem, divertir-nos e conseguir o que quisermos, sem muito trabalho.

A religiosidade torna-se mais importante do que a fé. Isso significa que nos colocamos no centro da nossa religião: em vez de rezar pela fé, construímos um sistema que podemos controlar com nossas regras e exigências. Não acreditamos que alguém vá se apiedar de nós, que alguém irá nos carregar quando não tivermos mais forças; em vez disso, acreditamos que podemos controlar a vida — e até mesmo controlar Deus.

Quando os valores superficiais prevalecem, a culpa se torna mero sentimento; sentimento esse, contudo, que perturba o conforto da nossa vida. E, aconteça o que acontecer, ninguém deve se sentir culpado, certo? Não é agradável sentir remorso, de modo que tentamos eliminá-lo. A vida não é mais uma missão; mais exatamente, a vida deve ser sempre divertida, e Deus deve ser divertido — um ursinho de pelúcia cósmico com o qual podemos brincar. Assim sendo, deixamos de perguntar o que a vida espera de nós; fazemos exigências. Evitando o drama natural inerente à vida, buscamos o divertimento, que substitui o verdadeiro significado da vida e o sentimento de propósito.

Como não é agradável estabelecer limites, os pais rejeitam o papel de serem responsáveis pelos filhos; em vez disso, tentam se tornar os melhores amigos deles. Criar os filhos não é mais uma missão especial quando os padrões de conduta são flexíveis; os pais não precisam mais transmitir nenhuma ética ou padrões particulares para a geração seguinte. Desastrosamente, os pais estão tão preocupados em garantir que seus filhos estejam sempre ocupados e entretidos que não percebem que, na verdade, os estão preparando para uma vida vazia.

Quando nossos valores se tornam superficiais, a intoxicação por álcool ou por drogas substitui a percepção sensual. Deixamos de apreciar a beleza natural que o mundo oferece; queremos mais! E como nos sentimos vazios, nada que seja corriqueiro — na verdade, nada menos do que o fantástico — servirá. Para sentir-nos estimulados e animados, precisamos provocar quimicamente o prazer. À medida que vamos perdendo a sensibilidade, temos que aumentar a quantidade, para sentir alguma coisa, qualquer coisa.

A pressa desperdiça vidas

Quando nossos valores se tornam superficiais, estamos sempre ocupados: precisamos buscar uma quantidade cada vez maior de tudo, porque nunca recebemos o que realmente necessitamos. Isso dá origem a uma pressa permanente, que não é algo que simplesmente nos acontece; somos nós que criamos o corre-corre incessante com nossas escolhas inadequadas.

Fazemos essas escolhas porque perdemos o contato com nosso ser mais profundo; acumulamos todas essas coisas e depois não temos tempo para elas. Estamos com pressa porque queremos ter pressa. Nós nos queixamos de que não temos tempo para o que deveríamos ou gostaríamos de fazer, mas nossas escolhas são sempre baseadas em nossos próprios valores. Na realidade, temos tempo para o que consideramos realmente importante: se o seu cabelo pegar fogo, você certamente conseguirá encontrar tempo para apagá-lo!

Fugimos do que perseguimos

Quando buscamos "todas essas coisas", até mesmo as que podem ser intrinsecamente boas, elas se transformam em monstros que assumem o controle e nos entregam algo diferente daquilo que estávamos procurando, algo completamente diverso.

O alcoólatra busca a alegria, a felicidade e a vida de qualidade, mas encontra o desespero, a vergonha e a degradação. Ele se esforça para alcançar o bem, mas encontra seu mundo despedaçado. O dependente químico busca experiências fantásticas, mas encontra um vício devastador. O viciado em trabalho se esforça para obter respeito e admiração, mas recebe uma úlcera, um derrame ou um divórcio. A pessoa que busca o poder não obtém influência, e sim a intriga, um jogo cujo principal objetivo é assegurar uma carreira magnífica na qual cada passo é calculado com astúcia. Aquele que busca encontrar alívio para sentimentos de culpa encontra a vergonha, que ganha terreno sempre que a culpa não é reconhecida. Só podemos alcançar o autorrespeito enfrentando nossa culpa; a vergonha faz exatamente o oposto, destruindo nosso eu autêntico no momento em que ele está mais frágil. Quando tentamos escapar da nossa culpa, fugimos daquilo que realmente almejamos: a dignidade e a integridade.

Quando procuramos a liberdade, tornando relativos os valores absolutos, perdemos nossa verdadeira liberdade: a liberdade de fazer o que sabemos ser certo. Ao agir dessa maneira, transformamos nossos desejos em valores; com o tempo, esses valores nos aprisionam, e nos sentimos impelidos a fazer sempre o que nossos desejos nos incitam a fazer; é isso o que acontece na toxicomania.

A pessoa que busca o sexo encontra a pornografia. Quando o sexo se separa do seu propósito original, ou seja, a intimidade e o afeto entre duas pessoas e o potencial para criar uma nova vida, ele perde sua essência e seu espírito.

O que acontece com os pais "legais" que querem ser amiguinhos dos filhos? Perdem o respeito deles, porque as crianças sabem, instintivamente, que os pais devem ser responsáveis por estabelecer limites seguros. Quando os pais procuram agradar os filhos sendo tolerantes, em vez de admiração recebem desprezo.

A pessoa que faz do dinheiro o principal objetivo da vida logo se vê em uma jaula — de ouro, sem dúvida, mas mesmo assim uma jaula. É bastante provável que esteja sozinha na jaula, já que criou sua imensa fortuna à custa dos outros. Ela não se vê cercada por amigos e sim por pessoas que fingem ser suas amigas, com a esperança de obter vantagens sociais e financeiras.

Deus é o dono de tudo o que possuímos

Se quisermos alcançar o poder, teremos de desistir da nossa busca e, em vez disso, assumir a responsabilidade. Assumir a responsabilidade significa aceitar uma missão de serviço, não importa se somos políticos ou pais de família. Obteremos o poder quando pararmos de persegui-lo e começarmos a fazer o que sabemos ser certo na nossa essência mais profunda. Nesse empreendimento, jamais ficaremos desempregados, pois corrigir a injustiça neste mundo requer uma força de trabalho ilimitada. Se levarmos essa tarefa a sério, não demorará muito para que nos tornemos influentes, devido à importância que adquirimos na comunidade. O verdadeiro poder é influência: quando nos tornamos influentes, por servir a nossa comunidade, nossa atitude é diferente da daqueles que buscam o poder pelo poder em si. Vemos o poder como uma ferramenta para nossa missão de serviço, não como um fim em si mesmo ou como uma maneira de reforçar nosso status. Assim, não temos necessidade de agarrar-nos ao poder, e estamos dispostos a abandoná-lo; na realidade, procuramos deixar o poder assim que nossa missão nos permite fazê-lo. O político é sincero quando seu principal objetivo não é fazer carreira e sim obter influência para concluir sua missão em benefício do bem comum — e abandonar o poder quando não mais precisar dele para sua missão.

Só podemos experimentar a verdadeira sexualidade quando paramos de buscar o sexo. A sexualidade está presente no respeito mútuo, na intimidade e no afeto entre duas pessoas; essas condições não são possíveis na ausência de um relacionamento emocionalmente seguro e reconfortante. A segurança emocional só é possível quando as pessoas têm um profundo respeito uma pela outra, e é impossível num relacionamento em que usamos o outro para satisfazer nossos desejos egoístas. Quando nos sentimos emocionalmente seguros, temos coragem de baixar a guarda, correr o risco da intimidade, revelar nossa vulnerabilidade e dar alguma coisa de nós mesmos; somente então podemos experimentar a sexualidade como uma pessoa inteira. O ato sexual torna-se carinhoso e reconfortante, e podemos alcançar um nível tão elevado de uma intimidade expressiva que o ato se torna restaurador: a linguagem não-verbal da compreensão total e terna é capaz de curar as feridas persistentes das experiências traumáticas.

Só podemos nos libertar dos sentimentos de culpa enfrentando e reconhecendo nossa culpa; ao fazer isso, obtemos autorrespeito. Se tentarmos ocultar a culpa, os segredos que escondemos dentro de um velho baú continuarão a fazer barulho, para chamar nossa atenção; por estar constantemente conscientes da presença deles, precisamos ficar prevenidos, porque a tampa do baú pode se abrir, deixando que os segredos venham à luz. Essa conscientização começa gradualmente a desgastar nossa identidade: temos dificuldade em respeitar a nós mesmos por saber que temos segredos para proteger. Investimos uma grande energia para manter a tampa do baú fechada, apesar do fato de que ficaríamos livres de tudo isso se abríssemos a porta e enfrentássemos nosso maior medo, de uma vez por todas. Podemos nos libertar da culpa tornando-nos livres para *sentir* a culpa — e deixá-la para trás.

A riqueza interior é o verdadeiro sucesso

Podemos ficar ricos encontrando nossa riqueza interior. *O verdadeiro sucesso é sempre o sucesso interior: a vida exterior está em harmonia com a vida interior.* É quando então sabemos quem somos; passamos a conhecer nossas necessidades, sonhos e talentos, e prestamos atenção a eles. Quando levamos a sério nossos sonhos e necessidades, podemos usar apropriadamente nossos talentos. Ao fazer isso, criamos uma vida na qual nossas necessidades mais fundamentais são satisfeitas, e, uma vez que estamos vivendo a vida que mais intensamente desejamos viver, também servimos aos outros e à nossa comunidade da melhor maneira possível. Encontramos essa riqueza interior quando paramos de perseguir a riqueza exterior.

O dinheiro é um meio, não um propósito. Mas o que acontece quando a vida que queremos mais intensamente viver também conduz à riqueza material? Quando o dinheiro não é uma meta, não nos agarramos aos nossos bens materiais; ao contrário estamos emocionalmente preparados para o fato de que podemos perder nossas posses a qualquer momento. Nós nos sentimos humildes e agradecidos, porque sabemos que não merecemos nenhuma parte da nossa riqueza. Não exigimos bens materiais; a riqueza que temos é mais uma fonte de surpresa e admiração.

Podemos criar riqueza material para nós mesmos buscando uma vida profunda? O sucesso interior sempre conduz ao sucesso material? Podemos buscar "todas essas coisas" perseguindo o reino celestial? Não, porque "todas essas coisas" *nos são dadas.* Elas são um presente, algo que não podemos conquistar, seja por intermédio do serviço, da luta ou de qualquer outra maneira.

Como as dádivas não podem ser conquistadas, receber um presente requer humildade: devemos ser simplesmente capazes de aceitá-lo com gratidão. A partir dessa perspectiva, somente as pessoas humildes são capazes de lidar com a riqueza; somente as pessoas humildes podem adotar uma atitude diante dela que não conduza à destruição. Quando achamos que temos o direito de possuir uma imensa riqueza material, começamos a defender nossos bens. Queremos assegurar que podemos mantê-los em nosso poder, e podemos desejar acumular um número ainda maior de bens para impedir que nossas posses encolham com o tempo. Entretanto, quando isso se torna nosso foco, não estamos buscando "primeiro Seu reino" ou mesmo "todas essas coisas", estamos tentando *garantir* que "todas essas coisas" *permaneçam em nosso poder.* Jesus disse que seria difícil para um rico entrar no reino dos céus; no entanto, ele acrescentou que "com Deus todas as coisas são possíveis". Talvez pudéssemos dizer que a atitude correta com relação ao reino celestial nos permite lidar adequadamente com a riqueza terrena: podemos ter tudo, mas não possuir nada. Deus é dono de tudo que temos. Portanto, o quarto paradoxo que encontramos é o seguinte: *Aquilo de que você desiste lhe será dado.*

O empresário interior tem dúvidas

Percebi que uma parte de mim — o empresário interior, por assim dizer — ainda tem dificuldade em acreditar que não possuímos nada (pelo menos até o fim de cada ano, quando ele invariavelmente descobre que as autoridades fiscais são donas do que possa restar em sua conta empresarial). Esse empresário só está interessado nas coisas externas; baseia sua identidade na impressão que exerce nos outros: o que ele possui, o quanto ganha, o tipo de carro que dirige e o tamanho da casa onde mora.

Conheço bem esse empresário e sei de onde ele vem: da parte do meu ser que ainda tenta conquistar o mundo de maneira a realizar as ambições da minha mãe. Ela queria que eu fosse médico; um médico que fosse membro do Rotary International e do Lions International, e também, é claro, da Câmara municipal. Esse médico se casaria com uma mulher que faria parte, pelo menos, da Soroptimist International e passaria um tempo considerável trabalhando em obras de caridade. Então, eu me pus em campo para realizar essas aspirações sem saber que elas não eram minhas. Comecei a estudar física e química para me qualificar para a escola de medicina; com esse mesmo objetivo, pedi a um amigo que me desse aulas particulares de matemática.

No entanto, não consegui aguentar mais de um período na faculdade. Em seguida, comprei uma motocicleta com o empréstimo educacional que conseguira, procurei um emprego e comecei a beber. Essa evasão foi instintiva; na época, não me dei conta do que havia realmente feito: eu me libertara do domínio da minha mãe e seguira meu próprio caminho. Comecei a estudar teologia e tomei as medidas necessárias para me qualificar como psicoterapeuta. Comecei a construir uma vida própria e uma identidade mais baseada em quem eu realmente era.

Anos mais tarde tive a oportunidade de explicar minha vida e minha escolha profissional para minha mãe, de fazer com que ela me visse como a pessoa que eu realmente sou. Ela tentou ouvir e compreender, mas pude perceber que não entendeu nada do que eu disse a respeito da minha vida. Naquela época, ela já era alcoólatra, estava sob tratamento e vivendo um casamento violento e catastrófico com seu segundo marido. Depois que acabei de falar, ela declarou sem rodeios que em breve cometeria suicídio; ela já cuidara das questões financeiras e de outros assuntos para que os filhos não ficassem sem nada. Fiquei parado, olhando para ela de olhos arregalados, sem saber o que dizer.

Essa conversa franca teve lugar em agosto de 1979, quando eu tinha 29 anos. Em janeiro de 1980, minha mãe se suicidou. Quando ela sentiu que não poderia mais fundamentar sua identidade no que eu tinha realizado, perdeu irrevogavelmente seu domínio sobre a vida. Esta já se encontrava em um estado tão triste e lastimável que minha mãe deve ter sentido que sua única escolha era acabar com ela. Na minha essência mais profunda, senti que perdera uma boa mãe; apesar de tudo, ela significou muito para mim. Na ocasião, sofri imensamente e lhe disse adeus, sem me dar conta que as despedidas, às vezes, duram várias décadas. Parte de mim ainda busca seu amor, ansiando pelo que ela ansiava.

Constatei, no entanto, que meu empresário interior hoje tem companhia: um monge interior. Essa parte minha ficou interessada na espiritualidade e na oportunidade que existe dentro de nós de estabelecermos uma conexão mística com Deus. Isso marcou o início do anseio por algo verdadeiro e genuíno na minha vida, e de uma longa busca por ela. Um ardente desejo interior me levou a indagar qual era o significado da vida e quem eu realmente sou. Eu procurei a verdade — a verdade a respeito de mim mesmo, da vida e de Deus.

Essa jornada ainda continua, e o monge e o empresário travam combates dentro de mim. Atualmente, o monge está no poder; eu o nomeei presidente do conselho diretor da minha organização, pois ele sabe que não sou capaz de conseguir nada por intermédio do meu próprio esforço. Ele sabe que quanto mais intensamente eu me concentro nas minhas obrigações efetivas, ou seja, viver no amor e fazer meu trabalho a partir desse contexto, mais livre sou para acreditar que as questões financeiras também se resolverão da maneira adequada. Ele tem prova disso: comecei meu negócio no meio da grande depressão do início dos anos 1990 e, a não ser por um único anúncio no jornal, nada fiz para promovê-lo. O meu negócio é uma impossibilidade, mas mesmo assim sobreviveu, e, em certos momentos, prosperou.

A vida tem suas próprias recompensas

Quando queremos nos divertir, devemos procurar dar uma trégua no trabalho; para desfrutar o prazer de ser entretidos, precisamos, primeiro, ter trabalhado arduamente ou até mesmo ter sentido dor. Quando trabalhamos bastante, apreciamos realmente o relaxamento e o descanso. Quanto mais nos esforçamos e sentimos dor, mais fácil se torna satisfazer nossa necessidade de entretenimento; às vezes, ficar em pé parados e desfrutar o silêncio é suficiente. E quando *não* trabalhamos muito, nem nos esforçamos, o descanso por si só não oferece um prazer suficiente.

O esqui é um hobby que pratico de vez em quando, e devo admitir que os alto-falantes nas encostas me incomodam e me deixam confuso. Por que precisamos da música? Por que uma única forma de entretenimento não é o bastante? Além do lazer que fomos buscar, precisamos ser adicionalmente entretidos para não ficarmos entediados? Se pararmos para pensar no assunto, isso não é incomum: nós nos empanturramos de pipoca no cinema para não sentirmos nosso vazio interior, e os noticiários no rádio têm música de fundo para que os ouvintes não fiquem entediados e mudem de estação.

A vida em si já contém drama suficiente, sem necessidade de trilha sonora. É um drama que podemos experimentar plenamente se tivermos coragem de realmente viver. Quando nos entregamos à vida, a necessidade de ser permanentemente entretido desaparece.

Se desejarmos a aprovação dos nossos filhos, teremos que parar de procurá-la. Isso significa aceitar a responsabilidade de sermos pais e ter coragem de abrir o intervalo necessário entre as gerações. Para obter uma verdadeira proximidade, precisamos de alguma distância; tentar ser o melhor amigo dos nossos filhos é próximo demais. As crianças só ficam livres para serem crianças na presença de um adulto emocionalmente maduro que estabeleça limites, que não se deixe intimidar com as reações delas que não procure desesperadamente a aprovação e que tenha, coragem de esperar ser respeitado quando o respeito é necessário.

A dependência conduz à liberdade

Encontramos a verdadeira liberdade quando achamos nossa completa dependência, quando abandonamos nosso falso sentimento de autossuficiência. Dependemos dos outros em tudo que fazemos; este é um fato da vida do qual não podemos escapar. O alcoólatra, o dependente químico, o viciado em trabalho e as pessoas com mania de poder tentam se livrar dessa regra contando exclusivamente consigo mesmos, e acabam percebendo que são prisioneiros devido a uma falta de amor que com o tempo acabará por destruí-los. Quando nos libertamos da ilusão de ter o controle da nossa vida, ficamos livres para amar. O amor é a profunda conscientização de que dependemos dos outros, a profunda compreensão de que não podemos sobreviver sozinhos.

A dependência amorosa é um valor absoluto que não devemos tornar relativo; se destruirmos esse valor, nos tornaremos escravos dos nossos desejos. Somente na dependência amorosa podemos receber o que necessitamos mais profundamente; se nos afastarmos dessa dependência, nossas necessidades humanas mais básicas jamais serão satisfeitas. Nossa profunda dependência dos outros nos torna vulneráveis, e essa vulnerabilidade nos leva em direção à nossa identidade autêntica. Nós nos tornamos nós mesmos quando nos relacionamos com os outros.

Isso nos conduz à questão da fé e da religiosidade. A verdadeira fé tem origem na vulnerabilidade, na nossa abertura diante do amor. A fé compreende nossa impotência e reconhece que dependemos dos outros. A religiosidade jamais deveria abandonar essa incerteza, esse apelo por algo além do nosso controle. Deus não pode ser controlado, nem mesmo por meio da religião; Deus precisa ser soberano, inexplicável, misterioso; somente então conseguimos falar com Ele, somente então podemos ouvi-Lo. A profundidade da nossa ligação com Deus é diretamente proporcional ao quanto estamos dispostos a reconhecer nossa vulnerabilidade; um apelo vindo da nossa impotência alcança o inatingível. Essas são as trevas que conduzem à luz ofuscante; esse é o silêncio repleto de barulho.

CAPÍTULO 5

Quanto menos você faz, mais você realiza

Criamos um tempo que se caracteriza por uma ausência crônica de tempo. Todo mundo está sempre com pressa, impaciente para chegar logo ao compromisso ou atividade seguinte, longe do momento presente. Parecemos sentir que estamos sempre fazendo a coisa errada, na hora errada, que já deveríamos estar fazendo outra coisa. Sempre existe *outra coisa*, mais importante, que exige nossa atenção.

Com essa constante falta de tempo, ninguém está presente no aqui e agora, de modo que não estamos presentes uns para os outros. Levamos a vida apressados, sem nunca estar efetivamente em contato com ninguém. Não podemos contar uns com os outros. Como nenhum de nós *realmente* vê os outros — ou seja, vê o verdadeiro eu que fica sob a superfície —, não há ninguém para presenciar nossa existência. E sem uma testemunha, deixamos de existir.

Inventamos maravilhosas máquinas e mecanismos concebidos para melhorar nossa qualidade de vida.

A tecnologia deveria nos liberar de tediosas rotinas e nos fazer economizar tempo, tempo esse que poderíamos então dedicar ao que consideramos realmente importante. O que aconteceu? Por acaso temos mais tempo? A julgar pela nossa pressa incessante, a resposta é um enfático não. O que aconteceu com todo esse tempo que as grandes invenções nos concederiam? Para onde ele foi?

Muitas pessoas, habitualmente, se queixam da falta de tempo como se isso fosse uma realidade admitida, um fato da vida que não pode ser modificado. Elas gostariam de ter mais tempo, mas é claro que isso não está em suas mãos, não há nada que possam fazer a respeito. Esse é realmente o caso? Quem é responsável por essa perpétua falta de tempo? Esse é um fato imutável que simplesmente nos domina, ou fomos nós que o criamos?

Quando fazemos um exame mais atento, podemos facilmente constatar que a pressa e a afobação — a sensação de que o tempo avança cada vez mais rápido — não existem como tal. O tempo ainda segue seu curso; ele continua a fluir no seu ritmo eterno e invariável. A essência do tempo não mudou de repente durante nossa geração. Ainda existe tanto tempo hoje quanto sempre existiu, e ele não flui mais depressa. No entanto, sentimos que há menos tempo. Por quê? Estamos tentando incluir coisas demais no tempo que temos nas mãos? Estamos tentando deixar nosso tempo completamente ocupado e abarrotado?

Sem dúvida, seria mais fácil achar que não há nada que possamos fazer a respeito da nossa pressa e da nossa afobação, porque, nesse caso, não teríamos que assumir a responsabilidade pelas nossas escolhas. Mas somos responsáveis pela maneira como usamos nosso tempo. Não podemos usar a pressa constante como uma desculpa para a falta de tempo se, para início de conversa, tal coisa não existir.

A falta de tempo crônica sempre tem origem nas nossas escolhas inadequadas. Todas as pessoas encontram tempo para fazer o que é importante para elas. Quando fazemos escolhas na vida, escolhemos o que consideramos valioso; em outras palavras, nossos valores guiam nossas escolhas. Quando não conseguimos decidir o que realmente tem valor para nós e o que não tem, nos sentimos impelidos a fazer o maior número possível de escolhas "valiosas". Acabamos inserindo tantas coisas "boas" na nossa vida que não temos tempo para lidar com a abundância. Por que fazemos essas escolhas? A resposta reside nos nossos valores? Nossos valores promovem nossas escolhas?

Sem profundidade, não existe direção

Os valores superficiais criam uma vida superficial. Em uma vida superficial, não existe espaço para a condição humana. Como seres humanos, criamos valores que nos afastam da nossa natureza fundamental. Não conhecemos mais o ritmo natural e cadenciado da alma humana, o que conduz a uma vida desprovida de alma: a alma é deixada para trás, pois ela não consegue acompanhar o ritmo acelerado da nossa existência. Quando perdemos contato com nossa alma, perdemos contato com nossa natureza mais profunda, o que gera um vazio, uma pessoa sem identidade, um ser humano desprovido de qualidades humanas.

Esse sentimento de vazio é intolerável, de modo que precisamos compensá-lo de alguma maneira. Na ausência de uma vida profunda e genuína, produzimos febrilmente uma imitação da vida: um substituto superficial que passa pela coisa verdadeira. Criamos uma identidade atraente e funcional, que tem valor de mercado, uma vida artificial, que pulsa com intensidade e fervilha com abundância. Essa compulsão de preencher o vazio produz um conjunto de valores marcado pela afobação, agitação e necessidade de desempenho. Assim, superestimamos a eficiência. A produção e o consumo tornaram-se a essência da nossa cultura, objetivos indiscutíveis por si mesmos.

Desprovidos de dignidade e de uma verdadeira identidade, medimos nosso valor em função da impressão que exercemos nos outros. Tudo se encontra na superfície; o que parece bom, deve ser bom. Ninguém olha debaixo da superfície, pois gostamos de acreditar que nada existe ali: nenhuma fraqueza, imperfeição ou morte. Tudo foi convenientemente erradicado, declarado irrelevante. Não somos guiados a partir do interior, e sim do exterior, tentando economizar tempo de viagem na estrada para lugar nenhum.

Nós não vivemos; encenamos a vida

Nossos valores criaram uma cultura na qual as pessoas não têm descanso. A pessoa agitada não consegue simplesmente viver, porque a verdadeira existência só pode surgir da profunda convicção de que ela é amada. Sem essa certeza, ela precisa se esforçar para conquistar o direito de existir, de encontrar seu lugar no mundo. Ela não sabe que já tem um lugar aqui. Sua luta permanente gera grande tensão; ela não é simplesmente um ser humano, mas sim um ser humano que precisa convencer o mundo de que tem valor, e faz isso melhorando seu desempenho e produzindo resultados cada vez mais impressionantes.

No Antigo Testamento, Deus diz que Seu nome é *Eu Sou* ou *Aquele que É*. *Ser* ou *Existir* é a essência de Deus. Se a humanidade é uma imagem de Deus, então existir também é *nossa* essência. *Existir é a consciência serena e tranquila de que temos o direito de ser quem somos, de que há um lugar para nós neste mundo.* Quando temos o direito de existir, não precisamos lutar. Estamos convencidos de que merecemos o amor e de que somos amados. Estamos livres da ansiedade com relação ao nosso ser, porque estamos sendo carregados pela vida.

Quando a pessoa carece dessa conscientização, ela tenta controlar a vida. Por sentir que não tem valor, ela precisa tornar-se valiosa. Incapaz de acreditar que é amada, ela não dá nenhuma chance ao amor. Essa pessoa conta apenas consigo mesma, tornando-se exageradamente autossuficiente. A falta de amor promove a autossuficiência prejudicial: privados do amor, não vivemos; encenamos a vida.

O homem não confia em Deus; ele pensa que é Deus

Quando a autossuficiência torna-se uma estratégia de sobrevivência, a pessoa que depende dessa estratégia efetivamente afirma ser Deus. Ela só confia em si mesma e em sua capacidade de sobreviver. Sua esfera da vida se estreita; ela se restringe a uma vida limitada, porque não sabe como romper os limites que criou, não tem coragem de fazê-lo ou simplesmente não vê nenhum sentido em tentar. Essa pessoa gira em torno de si mesma, buscando significado e importância apenas no que faz, tentando controlar seu comprimido universo como se fosse Deus. Ela pode muito bem pensar que não é religiosa, mas acontece que é, até bastante. Essa pessoa professa uma religião novinha em folha, tão nova que na verdade ainda não foi oficialmente reconhecida.

Na religiosidade verdadeira e saudável, Deus é, ao mesmo tempo, o amor e uma pessoa, e os dois fazem parte um do outro, pois a personalidade só pode ter origem no amor. Nascer como uma pessoa pressupõe a presença do amor, pois significa aceitar e reconhecer a própria vulnerabilidade e dependência dos outros. Tornar-nos uma pessoa é uma dádiva que recebemos do amor. Nossa gratidão ao doador nos leva a venerá-Lo, o que promove uma religiosidade saudável.

A pessoa que permanece fora do alcance do amor não recebe a dádiva da personalidade; em vez disso, ela cria uma identidade por intermédio do êxito pessoal e realizações, venerando essa criação, não Deus, o doador da dádiva do amor que faz de cada um de nós uma pessoa. Eis os constituintes da nova religião: uma pessoa exageradamente autossuficiente torna-se religiosa sem ser espiritual. A verdadeira espiritualidade envolve ter consciência de que somos carregados pelo amor, confiar nesse amor e revelar a própria vulnerabilidade na presença desse amor. Na ausência do amor, a religiosidade não reconhece a vulnerabilidade; pelo contrário, ela pode até mesmo negá-la, por ter sido originalmente criada para escondê-la. Não é de causar surpresa, portanto, que esse tipo de religiosidade se caracterize por ordens e exigências em vez de pelo amor e pela afabilidade. Ela não venera um Deus amoroso; ela cria um novo deus: o falso eu.

O falso eu é um resumo das impressões externas da pessoa, uma aparência que ela cuidadosamente construiu. Quando a identidade da pessoa não está radicada no amor, ela precisa construir uma aparência bastante convincente para impressionar a si mesma e aos outros. Muitos de nós passamos a maior parte do tempo cuidando da nossa aparência, polindo e refinando essa estrutura; parecemos realmente convencidos de que a impressão que causamos nos outros é, de fato, quem nós somos.

Essa nova religião gerou novos locais de devoção: shoppings e lojas de departamentos, nos quais alto-falantes proferem um sermão — um fluxo constante de anúncios e ofertas especiais relacionadas com os mais recentes produtos essenciais para conferir à nossa aparência aquele perfeito acabamento. Quando visitamos um desses santuários, praticamente podemos sentir nossa aparência se fortalecer. Quando deparamos com um conjunto infinito de produtos concebidos para melhorar a impressão que causamos nos outros, não podemos deixar de ficar excessivamente conscientes da nossa aparência. À medida que somos bombardeados por mensagens que enfatizam a importância do nosso aspecto e que promovem os componentes essenciais para que possamos manter nossa identidade artificial, nós nos concentramos na aparência e perdemos de vista nosso valor humano.

A nova religião também tem escrituras: uma ampla variedade de revistas e tabloides de moda, fofocas e lazer, com artigos dedicados à tarefa de construir e aprimorar a nossa aparência. Temos que saber onde as celebridades estiveram, o que elas têm feito, o que estão vestindo e o que têm a dizer. Essas revistas nos revelam o que esses novos santos consideram sagrado. Eis alguns dos novos ícones religiosos: os *teasers* e as manchetes sensacionalistas. Nós nos curvamos diante deles; precisamos saber o que as escrituras e os ícones têm a dizer hoje a respeito da natureza da realidade. A rainha de um concurso de beleza perdoou o namorado infiel; um astro do cinema, que está se casando pela quinta vez, declara que é, acima de tudo, um homem de família. Para aqueles que se esforçam por copiar a aparência das pessoas ricas e famosas, essas informações são cruciais.

Pontos de encontro sagrados para os seguidores dessa nova religião proliferam na internet. O princípio é o mesmo que o da vida real, mas o cenário é ainda mais santificado, possibilitando um número bem maior de fachadas criativas: somos livres para elaborar uma esplêndida versão otimizada de nós mesmos, equipar essa aparência com atraentes atributos e introduzi-la em situações sociais nas quais ela pode se comunicar com outras aparências.

Nada é verdadeiro nesses contatos; na realidade, esse não parece ser o objetivo deles. Ninguém se compromete com esses relacionamentos virtuais, e eles não têm continuidade; em pouco tempo a realidade é exposta, e precisa ser instantaneamente substituída por novas mentiras habilidosas.

Estou ocupado, logo existo

Em nossa cultura, assolada pela sensação crônica da falta de tempo, a pressa e a afobação se tornaram a nova Peste Negra. Temos pressa porque separamos o fazer do ser. Quando perdemos o contato com o ser — com a profundidade da nossa existência —, nossos valores tornam-se superficiais. Procuramos os efeitos rápidos e o prazer instantâneo. Perdemos a capacidade de escolher o que é essencial para uma vida de qualidade a longo prazo. Perdemos a sabedoria. Como nossas escolhas não conduzem à verdadeira satisfação e à paz interior, fazemos o maior número possível de escolhas, em vez de escolher menos, mas com sabedoria.

Quando estamos separados do nosso eu mais profundo, ficamos alheios ao nosso valor humano. Por sentir-nos inúteis, só podemos estabelecer nosso valor por intermédio do esforço excessivo, fazendo e realizando o máximo que pudermos. Todas as nossas ações e desempenho tornam-se um fim em si mesmos, parte tão essencial da nossa vida que não somos mais capazes de questioná-la. Cercados de pessoas que vivem da mesma maneira, ficamos cegos à nocividade da nossa cultura apressada e superficial; nosso louco estilo de vida passa a ser um estado normal. Somos como alcoólatras que negam que são viciados; nós nos recusamos a observar o estado em que nos encontramos, embora ele seja óbvio para os que não estão envolvidos nele. Outras culturas reconhecem a pressão insana do desempenho inerente à cultura ocidental, mas temos nosso estilo de vida em tão elevada consideração que esperamos que o restante do mundo o adote entusiasticamente.

Criamos um ambiente no qual não há espaço para nós como seres humanos. Os valores superficiais também motivam nosso trabalho; a ênfase recai tão exclusivamente no desempenho e na eficiência que desprezamos tudo mais, e, ao fazer isso, perdemos o contato com nossa alma. Perdemos a profundidade e a identidade à medida que sacrificamos a alma no santuário da eficiência. A produção torna-se mais importante do que as pessoas, e nesse processo nos esquecemos do que, por que e para quem produzimos.

E é claro que o que foi produzido precisa ser consumido. O consumo torna-se outro fim em si mesmo, o significado da vida moderna. Ao menos perguntamos a nós mesmos se realmente queremos consumir tudo que produzimos? Desejamos realmente ser definidos basicamente como consumidores, ou gostaríamos de ser vistos como uma coisa diferente, talvez como algo mais humano?

Quando deixamos de perceber que o amor é o valor mais profundo da nossa vida, começamos a levar um vida sem amor. Viver sem amor significa que estamos desligados das nossas profundezas e que, por sua vez, estamos desligados das outras pessoas. Os relacionamentos perdem o significado, e ninguém está verdadeiramente presente para os outros. A mera chance de duas pessoas estabelecerem contato uma com a outra está sendo sistematicamente eliminada da nossa vida diária.

Uma tarefa corriqueira, como comprar alimentos, exemplifica o que acabo de dizer. Os pequenos estabelecimentos das cidades e dos bairros estão desaparecendo. Não encontramos mais o afável dono de loja com quem antigamente podíamos conversar a respeito da nossa lista de compras e trocar ideias sobre o mundo em geral. Em vez disso, temos hoje gigantescos supermercados com corredores intermináveis, onde podemos perambular isolados entre desconhecidos, colocando no carrinho as iguarias que nos agradam.

Não damos mais valor aos encontros significativos entre as pessoas; os produtos que consumimos com tanto entusiasmo substituíram os contatos humanos. Não que consideremos as pessoas inúteis, porque achamos que elas têm utilidade. Nós as usamos da mesma maneira como usamos as coisas. Conseguimos realmente dominar a fundo a arte de fazer contatos: avaliamos os possíveis contatos de uma maneira egoísta e procuramos lidar com pessoas que possam nos proporcionar algum benefício — ou que permitirão que nos aproveitemos completamente delas.

Ao trabalhar além da necessidade básica para nossa subsistência, sacrificamos nosso bem-estar. Quando fazemos todas as coisas em excesso, ficamos cansados, mas, como estamos desligados do nosso eu mais profundo, deixamos de perceber os sinais que nosso corpo tenta nos enviar e mantemos o mesmo ritmo absurdo de trabalho. Nosso cansaço, pouco a pouco, se transforma em exaustão, ou esgotamento, um estado muito mais profundo do que estar simplesmente cansado. O cansaço é físico; o esgotamento, psicológico. Podemos nos recuperar do cansaço repousando e recobrando as forças durante uma noite ou um fim de semana, mas um ou dois dias não são suficientes para que nos recuperemos do esgotamento.

O esgotamento é um estado interior que não pode ser vencido sem uma profunda mudança no nosso comportamento. A exaustão está inextricavelmente associada aos nossos valores superficiais e à maneira como dedicamos nossa vida a eles. Para mudar nosso comportamento extenuante precisamos modificar nossos valores; boas intenções ou promessas não são suficientes para produzir uma mudança. Para sermos capazes de fazer escolhas diferentes temos que desejar profundamente modificar nossa vida. Quase todos nós só mudamos quando a mudança é a única opção que temos, quando não modificar nossa vida se torna doloroso demais.

Começamos a viver quando enfrentamos a nós mesmos

A essência da eficiência é produzir os resultados que queremos com o menor dispêndio possível de tempo e energia. Como podemos aprender a fazer menos e, ao mesmo tempo, efetivamente realizar mais? Embora isso possa parecer impossível, pode ser feito — se o que fizermos estiver ancorado nas nossas profundezas. Isso significa começar a deixar nosso *ser* dirigir o que fazemos e como o fazemos. Lembre-se de que *viver é a consciência serena e tranquila de que temos o direito de ser quem somos, de que há um lugar para nós neste mundo*. Viver torna-se o lugar no qual o fazer acontece. Logo descobrimos que, nesse estado de repouso, a eficiência floresce.

Como podemos alcançar esse estado sereno que parece bom demais para ser verdadeiro? Encontramos o repouso quando enfrentamos o que nos deixa inquietos. A causa fundamental da inquietação é invariavelmente a mesma: existe algo dentro de nós que ainda não enfrentamos, algo que ainda não aceitamos. Se a perda de um eu autêntico for o verdadeiro motivo por trás do nosso esgotamento crônico, para recuperar-nos precisamos restabelecer a conexão com nosso verdadeiro ser. Encontramos o repouso quando enfrentamos nosso verdadeiro eu.

Enfrentar a nós mesmos significa enfrentar as profundezas do nosso ser. Dentro de cada um de nós reside uma personalidade íntima, uma criança interior completamente carente de autoilusão. É aí que se encontra nossa autenticidade, nossa genuinidade; aí nós somos o que realmente somos. No nosso eu mais profundo cada um de nós é autêntico e verdadeiro. Essa é uma característica que compartilhamos com toda a criação. Concentre a atenção nos pássaros ou nas borboletas; você conseguirá sentir a quietude, a tranquilidade deles. Um pássaro não se esforça para ser diferente do que é. Uma borboleta é uma borboleta e um verme é um verme. A grama no solo está satisfeita com o que é. A nuvem no céu não se aflige; continua a vagar como sempre. Os cães são completamente sinceros, carecendo de todo e qualquer fingimento; eles nunca abanam a cauda simulando entusiasmo.

Essa autenticidade, essa sinceridade, é inerente em toda a criação, inclusive nos seres humanos. Entretanto, somente nossa espécie perdeu o contato com nossa tranquilidade natural, nossa capacidade de simplesmente viver. No entanto, podemos redescobrir essa capacidade, se estivermos dispostos a enfrentar e reconhecer o que é verdadeiro dentro de nós.

O amor ilumina nosso caminho em direção à nossa escuridão interior

Jesus disse que a verdade nos tornaria livres. Acredito que seja seguro pressupor que a verdade a que ele se referiu também tem relação com a verdade subjetiva dentro de todos nós: a verdade a respeito de nós mesmos. Saber quem somos nos torna livres, e essa verdade não é meramente um conceito filosófico abstrato.

Jesus também poderia ter dito que a verdade pode nos deixar muito pouco à vontade; na realidade, ela nos fará sentir dor. Não é particularmente agradável enfrentar nossa própria inverdade. Quando nossos segredos saem ruidosamente do baú, onde os colocamos, precisamos enfrentar nossa insegurança e nossa aparência. É por esse motivo que ninguém faz terapia apenas para se divertir. As pessoas geralmente começam a fazer terapia depois que tentaram de tudo, quando estão ficando sem opções. Só começamos a mudar quando deixar de fazê-lo torna-se doloroso demais; a dor e o sofrimento nos empurram na direção do crescimento e do desenvolvimento pessoal. É apenas enfrentando essa dor que podemos finalmente entrar em contato com nosso eu mais profundo.

No entanto, a dor não é intrinsecamente auspiciosa, pois ela pode conduzir igualmente à autodestruição. Precisamos também do amor, pois somente as pessoas cercadas pelo amor são capazes de enfrentar as profundezas do seu ser. O amor nos protege quando penetramos na insegurança interior. O amor também não é um conceito abstrato, e tampouco diz respeito a verdades filosóficas, ao sentimentalismo ou a belos pensamentos. Ser cercado por amor significa ter alguém disponível para nós, realmente presente, alguém com uma atitude amorosa diante de nós. Essa pessoa está disposta a ficar do nosso lado e também sabe ser firme, caso necessário. Na realidade, o verdadeiro amor é sempre firme; é o tipo de amor que não desconsidera a verdade, mesmo que ela doa. O amor nunca se esquiva da dor e do sofrimento, pois tem plena consciência de quanto valem esses sentimentos. O amor pode nem sempre parecer agradável, mas suas intenções nunca são ofensivas.

Não devemos estar sozinhos quando enfrentamos a insegurança que existe dentro de nós. Não podemos reconhecer nossa fraqueza sem uma testemunha iluminada que saiba para onde caminhamos e que nos acompanhe durante toda a nossa jornada. Esse companheiro pode ser um terapeuta, um cônjuge, um orientador psicológico, um amigo ou um grupo de autoajuda; pode ser um livro ou uma fita de áudio, que oferecem uma forma de interação humana; ou pode ser uma combinação de mais de um desses elementos.

Por termos sido maltratados, buscamos os maus-tratos

Encontrar amor e apoio é especialmente difícil para qualquer pessoa que não tenha sido amada na infância. Viver com falta de amor inflige profundas marcas nas crianças. Quando uma delas vive em um ambiente no qual é maltratada, sofre abuso e é abandonada, a criança se acostuma à situação. As crianças que vivem nessas circunstâncias não entendem que estão sendo maltratadas; em vez disso, crescem acreditando que há algo errado com elas. As crianças não conseguem avaliar de uma maneira crítica a capacidade dos seus pais de criar os filhos, percebendo portanto seu valor pessoal de acordo com a maneira como são tratadas. A criança depende de tal maneira dos pais que prefere abdicar dos seus sentimentos mais íntimos a renunciar aos pais. Isso cria uma lealdade infantil, uma característica típica das crianças: ela assume a responsabilidade por ser maltratada. A criança conclui que é uma pessoa má, em vez de perceber que os pais são responsáveis por tratá-la mal e sem amor.

Pouco a pouco, a personalidade da criança se associa à vergonha. Quando nossa personalidade se entrelaça com a vergonha, carregamos as consequências da falta de amor, incapazes de perceber as marcas internas que nos foram infligidas. Não sabemos que nos foi negada uma coisa importante, algo essencial, na nossa infância. Os ferimentos internos continuam ocultos porque não nos percebemos como tendo sido maltratados e privados de uma infância feliz.

Quando nossa personalidade está associada à vergonha, resistimos ao amor e o repelimos, desconfiando dos outros, por exemplo, e da sinceridade do seu amor. Rejeitamos pessoas confiáveis e amorosas, e buscamos a companhia daquelas que nos maltratam. Na companhia destas, nos sentimos seguros de uma maneira estranha, porém familiar.

Avançamos do sucesso exterior para o interior

Quando finalmente recebemos amor dos outros, gradualmente começamos a adotar uma atitude amorosa, carinhosa e solidária com relação a nós mesmos. Nossos valores se aprofundam, tornando-se humanos. Isso quer dizer que começamos a levar a sério a tarefa de proteger nossa verdadeira personalidade, a personalidade especial e autêntica que reside no nosso eu mais profundo.

Com o aprofundamento dos nossos valores, podemos também começar a ver o vazio por trás do nosso esforço de obter o sucesso e a admiração exterior. Quando nosso verdadeiro eu começa a nascer dentro de nós, não precisamos de uma aparência vistosa para convencer os outros, ou a nós mesmos, que existimos. O sentimento de vida que vem de dentro de nós é tão forte que gradualmente perdemos o interesse em fabricar uma fachada. Deixamos de avaliar nosso sucesso externamente e passamos a medi-lo internamente. Esse sucesso interior significa que a vida está em harmonia com nossa verdadeira personalidade.

"Tenho o tipo de emprego que realmente desejo? Quero estar casado com essa pessoa? A casa onde moro realmente parece minha? Estou vivendo minha vida ou uma vida definida por outras pessoas?" Estas são as perguntas que surgem quando começamos verdadeiramente a nos estabilizar na vida que estava destinada a ser nossa.

À medida que nossos valores se aprofundam, começamos realmente a querer uma coisa específica em vez de meramente deixar-nos levar por várias coisas diferentes. A consolidação do nosso livre-arbítrio é um importante indício de que nos religamos ao nosso eu autêntico. Quando queremos algo diferente daquilo que nossa cultura considera valioso, deixando de concentrar-nos exclusivamente em questões superficiais ou venerando o desempenho, de repente nos vemos em conflito com nosso ambiente. Nessa situação, portanto, desejaremos efetuar uma mudança bastante profunda para tornar essa coisa realidade, ou nossas mudanças ficarão limitadas a meros planos e boas intenções?

A vida profunda não acontece simplesmente; é preciso escolhê-la

Quando nossos valores se aprofundam, uma das primeiras questões que enfrentamos é a do tempo. Para ouvir nossas verdades mais profundas e levar a sério nosso eu genuíno, precisamos aprender a estar presentes, *para* nós mesmos e *dentro* de nós mesmos. As pessoas que vivem cronicamente com pressa nunca estão presentes para si mesmas ou para os outros, e nunca estão atentas ao que está acontecendo dentro de si. Não poderemos viver uma vida profunda enquanto não assumirmos a responsabilidade por estarmos permanentemente ocupados. Temos de compreender que a pressa constante não é uma coisa que nos acontece; é algo que criamos, por intermédio das escolhas que fazemos. Somos responsáveis pelo nosso estilo de vida estressado. Por sua vez, podemos criar uma vida mais ponderada, não apressada, fazendo escolhas diferentes. A vida equilibrada, pausada, não é predestinada; não é um destino que acontece a algumas pessoas mas não a todas. Ela é claramente uma escolha.

Todos os que ingressam em um processo de crescimento e mudança precisam responder à pergunta "Você deseja ficar curado?". Você quer enfrentar suas inseguranças e viver criativamente e com amor? A vida profunda precisa tornar-se um estilo de vida com o qual estamos comprometidos. Temos de desejá-lo muito, a ponto de mostrar-nos dispostos a desistir de outra coisa.

Hoje é um bom dia para mudar

Querer se curar significa reservar tempo para tomar as medidas necessárias para iniciar e promover o crescimento. Precisamos de tempo para descobrir nossa verdadeira personalidade e manter uma vida profunda. O que acabo de dizer pode parecer fácil e óbvio, mas na prática é tudo, menos isso. O fato de querermos nos recuperar está longe de ser uma coisa infalível, embora possamos afirmar que é o que desejamos, porque a doença sempre oferece certa segurança. Vou dar um exemplo da minha vida pessoal.

Anos atrás, quando decidi parar de fumar, descobri que o processo encerrava fases definidas. Primeiro, tive de sofrer de tal maneira com meu hábito de fumar a ponto de ele se tornar uma dor diária que durou anos. Isso me fez *começar* a parar. Essa primeira fase envolveu falar a respeito de parar de fumar e fazer planos nesse sentido. Fiz promessas e experimentei muitas táticas diferentes. Como é um fato notório que acabar com o hábito do cigarro é terrivelmente difícil, achei que não conseguiria fazê-lo de imediato; eu teria de esperar uma ocasião mais conveniente. Essa ocasião era sempre no dia seguinte, ou um momento muito mais distante no futuro; certamente, não no dia em que eu estava fazendo essas considerações.

Eu sabia que a tentativa de parar de fumar iria atrapalhar meu período de descanso, de modo que decidi parar em agosto, depois das férias de verão. Quando agosto chegou, eu ainda não estava preparado, então decidi parar na semana seguinte. Depois que a semana passou, decidi parar no dia seguinte, porque naquele dia em especial eu já fumara alguns cigarros. Seria mais fácil parar, pensei, se pudesse começar com uma atitude enérgica.

Essa fase durou vários anos.

A fase seguinte foi *parar de parar*. Precisei compreender que meu hábito de fumar nunca teria fim se eu não acabasse com ele. Simples intenções ou planos solenes não eram suficientes. Parar seria impossível enquanto eu colocasse um cigarro na boca e o acendesse.

Essa compreensão me conduziu à terceira fase do processo: *efetivamente parar*. Essa fase consistia em não acender um cigarro. Também envolvia compreender que não seria nem um pouco mais fácil no dia seguinte do que hoje. Hoje é uma boa ocasião para parar. Incrivelmente simples! Mesmo assim, levei anos para perceber.

Assumir a responsabilidade pela maneira como usamos nosso tempo é um processo com fases relativamente semelhantes. Em primeiro lugar, para levar uma vida que não seja dominada pela pressa precisamos fazer planos e ter intenções. Podemos ser motivados pelo esgotamento ou pela estafa causada pelo excesso de trabalho; em outras palavras: pela dor e pelo sofrimento. Essa fase inclui falar a respeito das virtudes de uma vida calma e relaxada sempre que a oportunidade se apresenta. As pessoas podem até mesmo escrever livros ou dar palestras sobre o assunto, ou tornar-se consultores que ensinam aos outros como viver, para não precisar efetuar muitas mudanças em sua própria vida. Elas dão aos outros a impressão de que estão prestes a abandonar a competição insana e fazer mudanças radicais no seu estilo de vida. Fazem e quebram todos os tipos de promessas, e depois sentem vergonha e culpa, o que as incentiva a renovar seus planos, elaborar grandes intenções e fazer novas promessas.

Nessa fase, você pode mudar de emprego ou iniciar um novo hobby. Pode comprar uma agenda nova ou um sistema de gerenciamento do tempo que imagina que vá fazer milagres. Com grande determinação, você reserva tempo para a família, para os amigos e para o cônjuge. No entanto, no momento da verdade, esses planos são abandonados. O chefe pergunta se você gostaria de participar de um importante projeto. Você realmente não tem tempo, de modo que cria tempo apagando das páginas da sua agenda momentos reservados para a família e os amigos. Você acha que compensará isso um dia desistindo de outra coisa em favor deles, só que isso jamais acontece. Você nunca dá o passo das boas intenções para a ação genuína.

A rejeição pode ser um risco necessário
Para tomar medidas efetivas você precisa desejar algo com muita intensidade, a ponto de estar disposto a correr o risco de ser rejeitado, por exemplo, no local de trabalho. Em última análise, isso significa que você está disposto a correr o risco de ser demitido. Essa afirmação pode parecer exagerada, mas é importante que você se lembre de que pode muito bem se deparar com uma situação na

qual precise escolher entre a vida e a morte — decidir se quer ir embora e seguir adiante com sua vida ou ficar e ser acometido por uma doença crônica que poderia ser fatal. Agarrar-se a um emprego é um consolo pouco satisfatório se você não for capaz de trabalhar ou estiver morto.

Isso me faz lembrar de uma época em que trabalhei como orientador psicológico em um centro de tratamento da dependência. Minhas atribuições no centro eram interessantes, até mesmo inovadoras, e minha responsabilidade era grande. Eu gostava do trabalho porque podia aproveitar plenamente minha criatividade.

No entanto, pouco a pouco comecei a perceber estranhos sintomas. Eu ficava tonto; o mundo girava à minha volta. Essas crises normalmente aconteciam pela manhã. Lembro-me de que quando os sintomas atingiram o auge, pouco antes de minhas férias, eu tinha que me apoiar nos muros quando caminhava para o trabalho. Um médico me examinou, mas não encontrou nada fora do comum; entretanto, os sintomas pioraram. Depois, durante as férias, os sintomas desapareceram em poucas semanas, para sempre, pensei. Mas eu estava enganado; eles retornaram no dia em que voltei ao trabalho, o que me obrigou a parar e refletir. Consultei um fisioterapeuta, que achou que a tensão exagerada nos músculos do meu pescoço poderiam causar crises de tontura. A fisioterapia aliviou um pouco os sintomas, mas não acabou com eles.

Depois de passar por vários estágios da dor, comecei a perceber que os sintomas estavam relacionados com um dos meus colegas de trabalho, que conseguira me arrastar para seu drama interior. Eu não percebera que essa pessoa ambicionava o poder e claramente exibia características narcisistas; em vez disso, rotineiramente me culpava pelos problemas na nossa comunicação. Eu tentara agradar ao meu colega da melhor maneira possível, procurando cooperar com ele e fazer melhor as coisas. Entretanto, quando comecei a discernir o padrão, não tive escolha senão estabelecer limites.

Minha atitude causou um sério conflito, que se espalhou pela organização. Eu não poderia ficar em silêncio e suportar a culpa; em vez disso, marquei uma hora com o diretor e exigi que o assunto fosse discutido, acrescentando que se ele não me atendesse eu pediria demissão. O diretor mostrou-se aparentemente muito compreensivo; ele estava ciente do problema e imaginara que eu fosse trazê-lo à tona mais cedo ou mais tarde. Prometeu fazer uma reorganização e restabelecer a paz no trabalho, mas de algum modo senti que aquelas palavras eram apenas conciliatórias; ele não conseguiria resolver o emaranhado de problemas naquele centro de tratamento. Assim, apresentei um ultimato: se as mudanças não ocorressem em dois meses, eu pediria demissão.

Defender a mim mesmo foi extremamente difícil e intimidante. E para tornar as coisas ainda mais estressantes eu tinha três filhos pequenos, estava com dívidas até o pescoço, pois tinha construído uma casa com minha família, e era o único de nós que tinha uma renda.

Pedi demissão do emprego. Isso aconteceu há 17 anos; as crises de tontura desapareceram e nunca mais voltaram. Outros aspectos da minha vida também se resolveram com o tempo: abri um consultório particular e consegui um número suficiente de clientes que me permitiu sustentar a família e reduzir meu débito. Hoje consigo perceber que meu corpo entendia coisas das quais minha mente não tinha consciência; as crises de tontura eram indícios desse entendimento. Quando não damos atenção aos sinais que o corpo envia, a mensagem gradualmente fica tão poderosa que não podemos deixar de ouvi-la.

A escolha de uma vida profunda é um processo que requer um desejo tão grande de mudança que suas escolhas e ações pouco a pouco começarão a mudar. Se você desejar uma vida profunda, começará a escolher um ritmo saudável e não apressado, embora essa escolha possa se chocar com seu ambiente e provocar conflitos. Efetuar uma mudança desse tipo também gera um conflito interno, uma guerra interior na qual uma parte de você deseja a paz e a tranquilidade e a outra tenta arrastá-lo de volta para o conhecido tumulto e agitação da atividade frenética. Não obstante, algo novo já nasceu: uma atitude amorosa para consigo mesmo, a capacidade de levar a sério seu eu genuíno. Agora você deseja cuidar bem de si mesmo, pois não está mais disposto a deixar de tomar conhecimento do que é preciso e autêntico dentro de você.

O silêncio contém vestígios do passado

Quando começamos a limitar a investida da atividade febril que tem lugar fora de nós começamos a discernir o que está dentro de nós. Só podemos ver o que está no interior quando conscientemente escolhemos parar e observar. Quando voltamos nossa visão para dentro, nos momentos de silêncio, começamos a perceber coisas que deveríamos ter visto muito tempo antes.

Presenciei isso muitas vezes no meu trabalho terapêutico. Quando uma pessoa dedica regularmente um período para explorar as profundezas do seu ser, eliminando distúrbios externos, e penetra em um tempo e um lugar especificamente reservados para o que está do lado de dentro, ela envia um sinal às suas questões internas que diz que agora ela as está considerando importantes e que concentrará a atenção nelas. Essas questões enterradas são então trazidas à tona; começam a despertar, dando início a um processo. Nele, a pessoa enfrenta todas as experiências e eventos da sua vida que ainda não foram processados.

Dentro de cada um de nós existem vestígios do que deixamos para trás, e que aguardam nossa atenção. Esses vestígios podem ter sido deixados por experiências cujo significado e dinâmica não compreendíamos, experiências que simplesmente suportamos e jamais conseguimos processar de nenhuma maneira. Podemos alimentar sentimentos dolorosos, como o pesar, a raiva, a dor, a insegurança ou o medo. Se nunca paramos para prestar atenção e discernir o verdadeiro significado dessas experiências, elas reprimirão nossa energia como corpos estranhos.

Quando voltamos conscientemente a atenção para dentro de nós, para esses vestígios interiores do nosso passado, efetivamente procuramos o caminho em direção ao nosso eu genuíno, a tudo que um dia abandonamos.

Não queremos mais participar do abandono de partes de nós. Em vez disso, adotamos uma atitude amorosa diante de nós mesmos, o que conduz à recuperação e à integração. O amor nos torna completos, colocando-nos frente a frente com nossa fragmentação, nossa incompletude, o que nos torna vulneráveis e que, com frequência, dói. Talvez essa seja a verdadeira razão por trás da nossa pressa constante: estamos procurando garantir que nunca teremos de enfrentar o que poderia nos magoar.

O silêncio contém indícios do que está por vir

O silêncio interior não contém apenas vestígios do nosso passado; ele também parece se referir ao rumo futuro do nosso crescimento. As origens do que seremos estão presentes nele; já estamos a caminho de um destino do qual ainda não temos consciência. Se aprendermos a parar e escutar o silêncio interior, poderemos perceber indícios do nosso futuro. Essas alusões refletem nossos receios e sonhos, aquilo que tememos e, ao mesmo tempo, desejamos. O que isso significa?

Nossa verdadeira personalidade só pode nascer na medida em que somos vistos e ouvidos. Aprendemos a conhecer a nós mesmos por intermédio dos outros; nascemos da maneira como as outras pessoas nos veem. Quando, por exemplo, a tristeza de uma criança é reconhecida, ela não precisa mais escondê-la dentro de si. Ela tem permissão para senti-la, e a tristeza passa a ser integrada como uma das inúmeras características da personalidade da criança.

Existem muitas coisas dentro de cada um de nós que ainda não foram vistas ou ouvidas, de modo que ainda não somos tudo que poderíamos ser. Os aspectos ocultos de nós mesmos se esforçam por vir à tona de diversas maneiras, respondendo à nossa capacidade inata de nascer como o nosso eu autêntico. Essa capacidade também é conhecida por outro nome: criatividade. A criatividade é uma característica do Criador, que se manifesta na totalidade da Sua obra. Na criação, tudo diz respeito à mudança, ao movimento e ao crescimento. Para que possamos viver, e não meramente existir passivamente, também precisamos mudar, locomover-nos e crescer.

Nossos sonhos e desejos fazem parte do trabalho criativo que se agita dentro de nós. Se ousarmos prestar atenção aos nossos sonhos, eles poderão nos dizer o que nos tornaremos no futuro. Nossos sonhos nos convidam para ser algo novo e diferente, de modo que podemos nos sentir intimidados por aquilo que desejamos. O que sonhamos e tememos faz parte do futuro que já existe dentro nós. Para que possamos avançar em direção ao nosso futuro, onde somos mais genuínos, mais nós mesmos, precisamos de fé e coragem. Temos que acreditar na importância dos nossos sonhos; precisamos levá-los muito a sério, a ponto de lhes dedicar toda a nossa atenção. Nossos sonhos são um convite para uma vida corajosa, para realmente estarmos vivos, em vez de meramente sobreviver ou agir de maneira a não correr riscos.

O maior sonho que um ser humano pode ter é o de ser amado. Esse também é o sonho mais perigoso, porque, quando realmente acreditamos que somos amados, a vida muda radicalmente: aprendemos a confiar, a colocar nossa vida em mãos maiores. Deixamos de nos agarrar a posições seguras e, em vez disso, começamos a aceitar a vida como ela se apresenta.

O amor nos convida a entregar-nos, o amor nos convida a ter confiança e, por conseguinte, o amor nos convida a mudar, a dar à luz a pessoa que vive nas profundezas do nosso ser.

Quando temos confiança, encontramos a verdadeira eficiência no repouso

Quando falamos em repouso e silêncio, nossas palavras são com frequência mal interpretadas. Elas não estão se referindo à passividade e à inatividade. Pelo contrário, *o verdadeiro repouso é uma profunda atividade.* Quando mais estamos em repouso no nosso ser, mais alertas e preparados estamos para agir. Isaías diz o seguinte no Antigo Testamento: "Na quietude e na confiança reside vossa força", o que quer dizer que nossa verdadeira força não se encontra na atividade frenética e tumultuada e sim na confiança tranquila. O que é isso, o que significa?

Viver com uma confiança tranquila significa adquirir a capacidade de ouvir a nós mesmos, uma capacidade tão profunda que nas profundezas do nosso ser começamos a sentir uma ligação com algo maior do que nós mesmos. Quanto mais prestamos atenção a essas profundezas, mais esse processo de escutar se torna um diálogo.

O diálogo é mais do que um monólogo. Neste, a pessoa fala, mas ninguém responde. No diálogo, a pessoa fala e alguém responde. Quanto mais profunda nossa consciência desse diálogo interior, mais sentimos que estamos sendo carregados. Observamos que mesmo em situações que parecem insuperáveis e impossíveis somos, ainda assim, carregados através delas. Quanto mais profundamente percebemos esse fato, mais começamos a confiar no outro participante desse diálogo, o participante cuja presença sentimos dentro de nós: Deus. *Quando vivemos em uma ligação consciente com Deus, pouco a pouco nos convencemos, em um profundo nível emocional, de que estamos sendo carregados. Isso é confiança.*

Quando essa confiança ocorre, gradualmente ousamos confiar mais em Deus do que na nossa própria atividade. Deixamos de fazer um esforço para viver de um modo independente; em vez disso, relaxamos.

Entretanto, para relaxar, temos, ao mesmo tempo, de ser humildes e corajosos. Só podemos descansar se compreendermos que nossa força não é suficiente, que nossos recursos são limitados. Raramente alcançamos esse entendimento antes de ficarmos esgotados. Essa não é, de modo nenhum, uma experiência agradável, mas é fundamental, porque nos torna humildes. A humildade nos mantém conscientes; sem ela, não percebemos nossos limites.

Por que precisamos de coragem para poder relaxar? Vivemos em uma cultura que superestima o desempenho e a eficiência. Não é fácil explicar ou defender a importância da quietude. Se quisermos renunciar à nossa atividade excessiva e à necessidade obsessiva de estar no controle, com frequência teremos que agir contra o que é esperado de nós. Precisamos de coragem para nos proteger quando todos à nossa volta estão dispostos a sacrificar a saúde a uma intolerável carga de trabalho.

Quando restabelecemos o contato com nossas profundezas, começamos a ser orientados a partir de dentro, a partir da essência do nosso ser. Tudo o que fazemos passa a ser afetado pelo que aprendemos interiormente. Deixamos de fazer as coisas no sentido de estabelecer uma identidade magnífica; fazemos as coisas porque *temos*, de fato, uma identidade autêntica. Isso liberta toda a energia que vínhamos desperdiçando com o esforço febril de causar uma boa impressão, de convencer os outros do nosso grande valor, medido em função do desempenho. Relaxamento no que fazemos porque estamos em repouso no nosso verdadeiro eu.

Criatividade significa que seu eu genuíno, sua personalidade autêntica, está presente em todas as coisas que você faz, impregnando-as com seu caráter e voz exclusivos. Isso conduz, por sua vez, à alegria de trabalhar. Minha avó tinha uma toalha bordada com as seguintes palavras: *A alegria do trabalho é uma dádiva de Deus*. Eu costumava olhar para ela quando era menino, mas não prestava muita atenção ao que estava escrito; não entendia a mensagem. Eu achava que as palavras apenas confirmavam a religiosidade de minha avó. Hoje, no entanto, começo a perceber como era grande o segredo proclamado naquele simples bordado.

Talvez pudéssemos reformular a frase de maneira a que ela corresponda melhor à realidade da nossa época. Nesse processo, as palavras perdem sua simplicidade poética, mas tornam-se mais compreensíveis na concepção moderna:

Quando somos dirigidos a partir de dentro, a partir de profundos valores espirituais, passamos a aceitar a inse-

gurança inerente à vida. Temos coragem de estar presentes, como uma personalidade autêntica, em tudo que fazemos. Desse modo, criamos algo novo e sentimos alegria em tudo que fazemos.

Quando nossa personalidade influencia nosso trabalho, deixamos de nos sentir impelidos a fazer sempre a mesma coisa, da mesma maneira. Não somos mais dirigidos pelo medo; evitar cometer erros deixa de ser uma prioridade. Em vez disso, sentimos um impulso natural e saudável de criar algo novo. Uma vez mais, apesar da nossa recém-encontrada segurança interior, criar algo novo exige coragem diante da vulnerabilidade. Quando deixamos que nossa personalidade apareça no que fazemos, corremos riscos; afinal de contas, criatividade significa pensar e fazer as coisas de uma maneira diferente, desafiando os padrões, as estruturas e as convenções existentes. No caso daqueles que se agarram a como as coisas *deveriam* ser, a insegurança os impede de correr riscos. A verdadeira criatividade sempre encerra um elemento de heroísmo.

Combinada com a coragem, a quietude dá origem a uma eficiência contraditória: fazemos menos e realizamos mais. Este é o quinto paradoxo que encontramos na nossa jornada: *Quanto menos você faz, mais você realiza.*

Fazemos menos quando estamos em repouso no nosso ser e somos dirigidos a partir das nossas profundezas. Fazer muito deixa de ser um fim em si mesmo; escolhemos as coisas certas para fazer porque temos melhor discernimento a respeito do nosso verdadeiro eu e do futuro que é melhor para nós. Nós nos sentimos interiormente seguros, o que conduz a um novo tipo de coragem:

coragem de estarmos presentes como o nosso eu genuíno em tudo que fazemos. Encontramos novas e criativas soluções, o que gera maior eficiência — a eficiência obtida quando estamos em repouso.

CAPÍTULO 6

Só podemos estar juntos se estivermos sozinhos

Hoje em dia a dissolução de um casamento tornou-se a regra em vez de a exceção. Achamos cada vez mais difícil fazer essa união durar. Como resultado, parecemos estar perdendo a coragem de contrair matrimônio, dando preferência a outros tipos de acordo por ser mais fácil dissolvê-los.

O que torna tão difícil formar vínculos duradouros e permanecer em um relacionamento? Em inúmeros casos, o casamento fracassa porque um dos parceiros é incapaz de respeitar o outro como indivíduo. Esse respeito envolve reconhecer, valorizar e dar espaço à autonomia do outro.

O amor promove e estimula a personalidade individual. Ele procura criar uma atmosfera na qual o verdadeiro eu de cada parceiro pode surgir e podemos experimentar e expressar toda a profundidade da nossa personalidade. O amor só pode prosperar em um relacionamento no qual o respeito pela individualidade do outro, sua integridade ou autonomia, seja posto em prática. Nesse relacionamento, passamos a ser vistos como as pessoas que realmente somos.

Quando não somos capazes de valorizar a autonomia de um parceiro, deixamos de enxergar o eu genuíno dele, ou nos recusamos a fazê-lo. Nossa percepção é distorcida por necessidades não satisfeitas que trouxemos da infância ou da adolescência e carregamos até hoje, necessidades essas que têm a ver com nossos pais. Não é razoável que esperemos que o nosso parceiro satisfaça essas necessidades.

Ainda assim, as necessidades não satisfeitas da nossa infância não perdem a intensidade nem desaparecem com o tempo. Elas fervilham dentro de nós, reais e prementes. Elas exigem satisfação. Nosso passado começa a sabotar o presente com expectativas irrealistas, que não são mais reconhecidas como as necessidades da criança de antigamente. No presente, essas necessidades se transformam em exigências absurdas que geralmente fazemos àqueles que estão mais próximos de nós — na maioria das vezes, o cônjuge. Podemos desprezar os limites pessoais, deixando de respeitar nossa cara-metade como uma pessoa adulta independente de nós. Nós a oprimimos com uma responsabilidade inapropriada, esperando que ela subjugue nossa angústia. Em vez de unir-nos ao nosso cônjuge em uma parceria equilibrada de iguais, exploramos o relacionamento tendo em vista nossos objetivos. Essa atitude assume muitas formas; podemos, por exemplo, agarrar-nos desesperadamente ao nosso cônjuge e esperar que ele nos ofereça um nível de proteção e segurança que não se pode esperar que nenhum adulto propicie a outro.

A vida é insegura. Na infância, temos o direito de esperar que os adultos à nossa volta nos deem abrigo e proteção, mas quando ingressamos na idade adulta precisamos gradualmente aprender a enfrentar sozinhos a imprevisibilidade e a insegurança inerentes à vida. Alguns adultos relutam em aceitar essa responsabilidade; eles se agarram aos outros e se recusam a crescer, esperando que os outros assumam o papel adulto no lugar deles. Culpam os outros pelas suas dificuldades e esperam que eles assumam a responsabilidade pela sua angústia. Ao fazer isso, essas pessoas se comportam como crianças, jamais precisando dar qualquer coisa ou levar os outros em consideração. Elas não admitem nenhuma responsabilidade; reconhecem apenas seus direitos.

A vida é uma responsabilidade que não podemos delegar às outras pessoas. Quando nos tornamos adultos, temos que deixar de esperar que os outros ajam conosco como se fossem nosso pai ou nossa mãe; temos que nos tornar nossos próprios pais. Precisamos crescer e nos transformar em pessoas dispostas a assumir a responsabilidade pela nossa vida e, conforme a necessidade, enfrentar nosso passado.

Nosso passado segura a vela nos nossos relacionamentos

Os dois exemplos a seguir mostram como questões não resolvidas do passado nos impedem de viver plenamente no presente. Somos incapazes de ver nossos parceiros como eles realmente são; em vez disso, contemplamos uma imagem distorcida das nossas antigas necessidades. Viver inconscientemente no passado e revivê-lo em um nível simbólico tornou-se nosso estado "normal" de existir, mas em um relacionamento isso inevitavelmente causa problemas. Cada parceiro se sente infeliz e culpa o outro pela sua infelicidade. Cada um tenta fazer o outro mudar. Prisioneiros do passado, ambos os parceiros são incapazes de crescer.

"Onde está você, mulher poderosa? Estou aqui, homem fraco."

A pessoa que decidiu não crescer rejeita toda e qualquer responsabilidade. Ela encontra alguém — na maioria das vezes, um cônjuge — disposto a assumir uma parcela maior de responsabilidade do que a que lhe é devida. Como essa pessoa faz isso?

Ela o faz instintivamente, enviando sinais subconscientes que podem ser compreendidos por aqueles que se encaixam nos requisitos. Por exemplo, um homem pode sinalizar o desamparo de uma maneira que revele que ele está em busca de uma mulher disposta a cuidar dele e aceitar as responsabilidades de uma mãe. Esses sinais poderiam ser interpretados, por exemplo, da seguinte maneira: "Onde está você, mulher forte e poderosa? Estou aqui, homem fraco e indefeso, aquele que sempre precisará e dependerá de você! Quero que você assuma a responsabilidade no meu lugar. Preciso de você porque não desejo crescer. Preciso que você se torne minha mãe. Coloque-me debaixo de sua asa!"

No nível subconsciente, esses sinais secretos atraem a mulher que está buscando alguém de quem possa cuidar.

Ela já pode ter uma longa história de tomar conta de outras pessoas a começar pela infância, com a mãe ou o pai. Cuidar dos outros tornou-se parte integrante da sua identidade. Ela só consegue se relacionar com outras pessoas se for aquela de quem eles dependem. Se for percebida, antes e acima de tudo, como uma pessoa que está sempre presente para ajudar e compreender os outros, ela também aprendeu a se ver dessa maneira. Ela carece da capacidade de levar a si mesma em consideração, de prestar atenção às suas próprias necessidades. Em vez disso, concentra-se nos outros, sempre preocupada com o bem-estar deles, sintonizada com as necessidades deles, à custa das suas.

Quando qualquer mulher recebe sinais enviados por um homem indefeso, sinos de alarme deveriam soar. No entanto, a mulher altruísta não ouve os sinos; ou, caso os ouça, ela os confunde com sinos de casamento. Ela se apaixona instantaneamente. Sente que finalmente encontrou o amor da sua vida. Entretanto, esse homem e essa mulher não são capazes de uma união em uma parceria de iguais, como pessoas adultas. Em vez disso, as questões passadas não resolvidas de ambos distorcem como veem um ao outro. Subconscientemente, o passado deles sabota o presente. Eles não se apaixonam um pelo outro e sim pela esperança de finalmente satisfazerem as necessidades da infância.

"Onde está você, pessoa fraca? Aproxime-se para que eu possa controlá-la."

Vamos examinar outro exemplo: uma mulher cresce incapaz de se identificar com a mãe. Esta talvez rejeite a filha, vendo-a como uma concorrente que representa uma ameaça. É possível que a mãe nunca tenha se adaptado à sua condição de mulher, jamais aprendendo a valorizar sua feminilidade. Ela pode ter sido vítima de abuso sexual na infância, que nunca teve a oportunidade de superar suas experiências dolorosas. Sua única escolha, então, é reprimir todas as memórias e sentimentos relacionados com o abuso. Por conseguinte, não se dá conta do efeito que o abuso ainda exerce sobre sua sexualidade. Ela não gosta da mulher que existe dentro dela, de modo que antipatiza com a mulher que vê na filha. Ela é incapaz de tratar a filha com carinho; não gosta de estar perto dela e raramente a toca, a abraça ou demonstra algum tipo de afeto. A mãe pode cuidar bem da filha, mas somente por um sentimento de dever. Como alimenta sentimentos de culpa devido à sua incapacidade de alegrar a filha, tenta ser a mãe perfeita, fazendo tudo "como manda o figurino", mas mesmo assim permanecendo distante da filha. Entretanto, disfarçada por um verniz de perfeição, a distância entre mãe e filha passa despercebida.

A filha não tem a oportunidade de aprender com a mãe o que é ser mulher. Na ausência da intimidade, ela não consegue encontrar na mãe a correspondente feminina que precisa copiar e com a qual precisa se relacionar. A jovem permanece fora de contato com sua condição de mulher, incapaz de amar e respeitar a mulher dentro de si mesma, porque sua mãe desconsiderou e rejeitou essa mulher.

Ao mesmo tempo, o pai pode dar a entender por meio do seu comportamento que não respeita a esposa. O relacionamento dos pais pode se caracterizar pela ausência da verdadeira intimidade, o que afeta o bem-estar emocional deles. O pai descarrega sua raiva e frustração na esposa. Ele faz com que ela saiba, de inúmeras maneiras, o quanto a considera imperfeita, defeituosa e inferior. Talvez o pai não tenha aprendido a reconhecer a fraqueza que existe dentro de si mesmo; em vez disso, aprendeu a desprezá-la. Ele pode muito bem considerar a feminilidade uma fraqueza, de modo que ataca a mulher que existe em sua esposa, tratando-a com o mesmo desrespeito que sente com relação à sua própria fraqueza. Ao fazer isso, ensina sua filha a desrespeitar a si mesma. Ela interpreta seu próprio valor como mulher nos sinais que o pai envia para a mãe, com as críticas e o desprezo dele. A filha aprende que é desprovida de valor.

A fim de obter autoconfiança e autorrespeito, a única escolha da filha é identificar-se com o pai. Ela não se sente como uma mulher, mas sabe que tampouco é um homem. Vê-se impelida a compensar sua falta de virilidade, agindo como um homem da melhor maneira que consegue. Separada de sua condição feminina, ela se debate na sua falta de masculinidade. Sente-se próxima do pai; com o estímulo dele, ela pode até mesmo transferir todo o seu amor da sua mãe para ele e unir-se a ele na rejeição da esposa. Ao desprezar a mãe, a filha também aprende a desprezar a si mesma como mulher.

A mulher que está em harmonia com sua feminilidade tem consciência do seu valor como mulher; para ela, a feminilidade é um estado natural de ser. Não se trata de uma ameaça ou uma deficiência que precisa compensar. Ela gosta de viver com um homem; encontra-se em pé de igualdade com o marido, embora seja diferente dele. A igualdade deles se baseia no respeito que sentem pela verdadeira identidade um do outro, o que inclui tanto suas diferenças quanto suas semelhanças.

Quando a filha no nosso exemplo, que é incapaz de se identificar com a mãe e carece de um modelo positivo da condição feminina saudável, cresce, ela se torna o que é, às vezes, chamado de "mulher fálica" na teoria psicanalítica. Ao imitar o comportamento insensível do pai, ela tenta compensar o fato de não ser homem, o único sexo que julga ser digno de respeito e admiração. Incapaz de se unir como mulher a um homem em uma parceria de iguais, ela busca um cônjuge que permitirá ser controlado e receber ordens. O relacionamento dos dois é marcado por uma permanente luta pelo poder, que se manifesta por meio de constantes conflitos e discussões. A mulher sente que precisa ter autoridade, uma autoridade suficiente para reprimir seu correspondente masculino no seu marido no esforço de não precisar enfrentar sua feminilidade.

Esse relacionamento não pode conter uma verdadeira intimidade, pois o homem e a mulher não estão presentes um para o outro como homem e mulher. Ambos sentem um vazio e um mal-estar no relacionamento porque suas necessidades não são satisfeitas. No paroxismo da luta que travam pelo poder, eles culpam um ao outro pela sua angústia, o que torna sua busca pela intimidade ainda mais difícil.

Na presença da esposa, o homem se sente desalentado de uma maneira que não consegue explicar racionalmente. Enquanto permanece disposto a desempenhar o papel do homem infeliz, tanto o homem quanto a mulher se eximem de enfrentar sua dor. Mas se o homem começar a questionar seu papel na relação e se recusar a ser definido pela esposa, criará uma crise no relacionamento. Essa crise poderá conduzir ao crescimento, já que a única escolha que resta a cada parceiro é enfrentar e abordar sua dor. Caso contrário, eles poderão ter pela frente o divórcio.

Só podemos enxergar os outros se enxergarmos, primeiro, a nós mesmos

Só é possível vicejar em um relacionamento quando o respeito mútuo prevalece; em outras palavras, quando ambos os parceiros veem um ao outro como realmente são. Sem esse respeito, o relacionamento não consiste em unir-se ao outro e sim em usar o outro. A união só é possível quando existe alguém capaz de se unir, quando os dois parceiros estão em contato com seu eu autêntico. Precisamos compreender nossa verdadeira personalidade antes que possamos reconhecer e respeitar a personalidade dos outros. Assim, vamos examinar nosso sexto paradoxo: *Só podemos estar juntos se estivermos sozinhos.*

Se não estivermos conscientes do nosso passado, inevitavelmente continuaremos a viver nele. Se o nosso passado pessoal estiver nos mantendo presos, nossa personalidade autêntica não poderá nascer. Ao distorcer a maneira como vemos a nós mesmos, nosso passado distorce o modo como percebemos os outros. Para ver os outros como realmente são, precisamos, primeiro, enxergar a nós mesmos, e para enxergar a nós mesmos temos que remover os obstáculos que bloqueiam nossa visão. Precisamos enfrentar nosso passado e tornar-nos conscientes do que reside lá.

Quando enfrentamos nosso passado, nos responsabilizamos por nós mesmos. Isso significa que paramos de impor aos outros nossas questões não resolvidas. Não responsabilizamos os amigos, colegas de trabalho, vizinhos e a pessoa que nos dá uma cortada no trânsito pela nossa angústia, e tampouco achamos que a vida poderia mudar para melhor se ao menos nosso parceiro estivesse disposto a se modificar.

Assumir a responsabilidade por nós mesmos requer que reconheçamos nossa imperfeição e incompletude. Enquanto não enxergarmos nossas deficiências e negarmos nossa necessidade de crescer, ficaremos tentados a responsabilizar nosso parceiro pela nossa infelicidade. No entanto, frequentemente só admitimos nossa dor quando ela nos machuca bastante; só nos mostramos dispostos a reconhecê-la quando ela se torna intensa demais para que possamos evitá-la ou desconsiderá-la.

O crescimento não é possível enquanto esperamos que os outros suportem o fardo da nossa dor. Voltemos ao nosso exemplo da mulher insensível e seu marido infeliz. Se o homem continua a assumir seu papel atual no relacionamento, a mulher não tem nenhum motivo para enfrentar seus próprios problemas; suas ilusões de poder e controle não são, de nenhum modo, ameaçadas. E o homem só se conscientiza de que está arcando com a dor de outra pessoa quando verdadeiramente enxerga a si mesmo.

Enfrentar a própria dor não é, de modo nenhum, uma experiência agradável. É bem mais conveniente culpar outra pessoa do que enfrentar nossa própria incompetência. No entanto, a única maneira pela qual podemos aprender a respeitar os outros é reconhecendo nossa incompletude. Enquanto não fizermos isso, nossos relacionamentos carecerão de uma verdadeira intimidade e seremos incapazes de unir-nos à nossa cara-metade em um relacionamento de iguais.

A falta de respeito pelos outros, geralmente, indica um autoconhecimento superficial. Quanto menos nos conhecemos, mais impelidos nos sentimos a criticar, julgar e condenar os outros. Nas palavras do Novo Testamento, vemos o cisco no olho do nosso próximo, mas não enxergamos a trave no nosso próprio olho. Criticamos e condenamos os outros para eximir-nos de enfrentar nossa fraqueza. A maneira como julgamos os outros na realidade revela mais sobre nós mesmos do que sobre aqueles que desdenhamos. Quanto maior o mal que queremos evitar dentro de nós, mais intensa nossa necessidade de condenar os outros. Quanto mais profundamente nós nos conhecemos, mais capazes somos de respeitar os outros.

O amor só pode viver em total liberdade

O verdadeiro amor só pode viver em total liberdade. A liberdade completa prevalece num relacionamento no qual ambos os parceiros são capazes de amar incondicionalmente um ao outro, sem estabelecer nenhum prerrequisito ou precondição para seu amor. Este não pode ser exigido, e é impossível amar uma pessoa por obrigação. Entretanto, a pessoa que se recusa a crescer faz exigências de amor. Ela exige que seu parceiro aja como se fosse seu pai ou sua mãe para que possa permanecer criança e não assumir a responsabilidade pela própria vida.

Só somos capazes de amar verdadeiramente quando nos tornamos responsáveis pela nossa vida. Nós nos tornamos então dispostos a assumir a responsabilidade pelos nossos problemas; não tentamos passá-los adiante, para os outros. Temos consciência do nosso passado e de como ele afeta nosso presente, e mesmo que não estejamos conscientes disso o tempo todo, estamos sempre abertos ao autoexame. Não nos sentimos à vontade culpando os outros.

Também sabemos que somos responsáveis pelo nosso bem-estar emocional. Quando somos desrespeitados em um relacionamento, não nos queixamos da situação durante anos a fio; tentamos fazer alguma coisa em relação a ela. Compreendemos que é impossível fazer outra pessoa mudar, de modo que não tentamos fazê-lo. Também entendemos que é nossa responsabilidade informar ao nosso parceiro que não estamos nos sentindo bem no relacionamento, se for o caso. Além disso, temos consciência de que não podemos impor o crescimento pessoal ao nosso parceiro; as duas pessoas têm o direito de fazer as próprias escolhas. É claro que isso não significa que devemos nos resignar a ser tratados com desrespeito, porque ambos os parceiros seriam prejudicados se não se protegessem desse comportamento. Se um dos parceiros se recusar sistematicamente a assumir a responsabilidade pessoal, o divórcio talvez seja uma escolha mais saudável do que a aceitação muda e resignada.

Não obstante, muitas pessoas se conformam com os maus-tratos porque o medo as impede de deixar um relacionamento ruim. Elas receiam ficar sozinhas. Seu medo de rejeição não resolvido pode ser tão intenso que elas se mostram inclinadas a permanecer nos piores relacionamentos. Elas se agarram ao parceiro abusivo, dispostas a suportar qualquer coisa desde que não tenham que enfrentar a vida sozinhas. Relutam em enfrentar a solidão até que se sentem tão desgraçadas, infelizes e sufocadas que não lhes resta outra escolha a não ser romper com o relacionamento.

No entanto, nesse tipo de situação, enfrentar a possível solidão é o único caminho em direção ao crescimento. Deixar um relacionamento abusivo requer uma raiva positiva, um poder que nos permite escapar dos maus-tratos. Mas se o medo do abandono nos impede de exercer esse poder, ele se volta para dentro e, pouco a pouco, se transforma em amargura, depressão, ódio e hostilidade.

Podemos compartilhar a dor de outra pessoa, mas não podemos afastá-la dela

É agradável estar perto das pessoas que assumem a responsabilidade pelos próprios sentimentos. Elas não são cercadas por um campo minado no qual precisamos ficar atentos a cada passo que damos. Esse campo minado circunda aquelas que têm questões importantes no seu passado pessoal que não foram enfrentadas e resolvidas. Ao lado dessas pessoas, precisamos ficar sempre de sobreaviso para não pisar em uma mina emocional.

Um passo em falso ou uma palavra errada podem causar uma explosão.

Aqueles que reconheceram seu passado e assumiram a responsabilidade pelos seus sentimentos são mais previsíveis. Suas reações são apropriadas, razoáveis e compreensíveis; em outras palavras, essas pessoas reagem como adultos.

Quando assumimos a responsabilidade pela nossa vida, somos capazes de ter um relacionamento com outra pessoa sem precisar viver a vida dela para ela. Respeitamos o outro e mantemos uma distância respeitável da essência do seu ser, um lugar que é privativo e sagrado. Sabemos que ficar perto de uma pessoa significa compartilhar sua dor e sofrimento; entretanto, isso não significa tentar afastá-los dela. Quando respeitamos uma pessoa, não nos intrometemos na sua vida, impelidos por uma necessidade de superioridade moral que nos leva a tentar salvá-la, ajudá-la ou curá-la. Compreendemos que é impossível saber o que é certo ou não para outra pessoa. Nem mesmo Deus tenta impor Sua presença quando não é convidado.

A dor, a agonia e o sofrimento estimulam o crescimento. Quando enfrentamos nossa dor, ou pelo menos parte dela, temos consciência do que estamos fazendo. Sendo assim, não tentamos libertar uma outra pessoa da dor que está sentindo; em vez disso, deixamos que ela a enfrente e lide com o sentimento. No entanto, ficamos ao lado dessa pessoa, oferecendo apoio e solidariedade.

Com frequência confundimos simplesmente ajudar os outros com assumir a responsabilidade por eles. Intervimos e assumimos o controle; começamos a viver a vida dessas pessoas para elas. Sentimos a necessidade de protegê-las do que quer que imaginemos que elas precisam ser protegidas, sem levar em conta que pode ser de nós. Não parecemos entender que, embora a verdade possa ser dolorosa, em última análise ela não faz mal a ninguém; pelo contrário, nos torna livres.

Nossa responsabilidade é dizer a verdade. É claro que isso não nos dá o direito de agredir os outros jogando uma "verdade" dolorosa na cara deles. A verdade é sempre definida pelo amor; ela não contém qualquer intenção nociva. Se formos receptivos à nossa própria dor, teremos consciência desse fato, de modo que não teremos medo de contar a uma outra pessoa verdades que ela talvez não deseje necessariamente ouvir. Não somos responsáveis pela maneira com a outra pessoa reage à verdade.

Na maioria das vezes, é nosso medo que nos impede de dizer a verdade da maneira como a entendemos – para nosso cônjuge, por exemplo. Temos receio das reações do nosso parceiro, especialmente da raiva, e temos medo da rejeição. Andamos na ponta dos pés ao redor dele, tomando cuidado para não pisar em uma mina emocional. Nós o protegemos de nós mesmos. Ao evitar o conflito a qualquer custo, privamos o relacionamento de amor, pois o conflito sincero prepara o caminho para a verdadeira intimidade. Quando "protegemos" nosso parceiro dos nossos sentimentos, na verdade nós o estamos manipulando. Não estamos sendo sinceros; em vez de revelar como realmente somos, modificamos a verdade. Escondemos nossa verdadeira personalidade e convicções dentro de um pacote mais apresentável, um pacote que achamos que será mais apreciado pelo nosso parceiro. Ao fazer isso, controlamos as reações dele, não permitindo que pense por si mesmo.

Quando protegemos nosso parceiro dessa maneira, deixamos de dar atenção ao nosso verdadeiro eu, e o abandonamos. Nós nos afastamos cada vez mais da nossa verdade, perdendo-nos na manipulação. Se um dos parceiros controla o outro com acusações, culpa ou raiva, o parceiro intimidado perde gradualmente sua identidade. Quando perdemos nossa identidade, perdemos a capacidade de amar, porque o amor é uma emoção que só pode ser transmitida por uma personalidade genuína.

Quando vivemos com outra pessoa, em vez de viver por ela, não sentimos necessidade de salvar nosso parceiro de nada. Compreendemos que não podemos mudá-lo ou exigir coisas dele. Não precisamos "salvá-lo" ou aconselhá-lo, não necessitamos agarrar-nos a ele, não precisamos tomar decisões por ele ou protegê-lo da verdade. Mas tampouco temos a necessidade de abandoná-lo. Podemos compartilhar com nosso parceiro nossa condição humana. Podemos ficar ao lado dele e maravilhar-nos com o mundo junto com ele. Podemos tornar-nos seu companheiro de percurso, compartilhando com ele a jornada da descoberta e da aventura. Quando não temos necessidade de bancar Deus, somos livres para sermos humanos: sonhadores, caminhando em busca de grandes descobertas.

Não é uma palavra sagrada

Quando assumimos a responsabilidade pela nossa vida e decidimos ser donos do nosso próprio nariz nós nos atrevemos a dizer não. *Não* é uma palavra sagrada. Externamente, pode parecer pequena e nem um pouco dramática, mas é carregada de um imenso poder.

Quando dizemos não, corremos um risco enorme de ser abandonados. Outras pessoas podem achar que não somos interessantes e agradáveis. Podem até mesmo pensar que estamos errados. Por esse motivo, precisamos ser capazes de contar com algo que existe dentro de nós quando os outros se recusam a nos apoiar ou encorajar. Esse algo interior é nossa identidade, a essência do nosso ser. Quando temos coragem de dizer não, expressamos não apenas para os outros, mas também para nós mesmos, nossa crença em algo mais importante do que agradar aos outros. Nesse caso, também estamos vivendo perigosa e criativamente.

Esse processo criativo valoriza nossa verdadeira identidade. Se sempre contemporizamos para obter aceitação, abandonamos nosso verdadeiro eu. No entanto, se encontrarmos a segurança dentro de nós, também encontraremos a coragem de dizer não e permanecer fiéis ao nosso ser essencial.

Quando nos sentimos capazes de dizer não, paramos de exigir que os outros nos amem. Em vez disso, começamos a buscar o amor dentro de nós mesmos, dirigindo nossas perguntas para as profundezas do nosso ser: existe alguma coisa na vida da qual eu possa depender? Um colo onde eu possa descansar? Viver significa, apenas, estar à mercê de forças caóticas e inomináveis, ou tudo contém um significado? Em outras palavras, perguntamos, existe um Deus?

Na realidade, a pergunta a respeito de Deus é uma pergunta sobre o amor, pois o fato de Deus existir não faz na verdade nenhuma diferença se esse Deus não for um Deus amoroso. Por conseguinte, a maior pergunta da vida não é se Deus existe, e sim se existe um Deus amoroso.

Nascer como ser humano significa ingressar na solidão, aceitar que somos separados de todas as outras pessoas. Precisamos ter a coragem de ficar sozinhos, e mesmo assim acreditar que somos amados. É impossível para nós encontrar nossa verdadeira identidade enquanto não tivermos a experiência de ser amados. Somente então aprenderemos quem somos e nos tornaremos capazes de unir-nos profundamente aos outros.

CAPÍTULO 7
Só podemos estar sozinhos se estivermos juntos

O HOMEM FOI CRIADO para viver em comunhão com os outros. Cada um de nós necessita de uma comunidade próxima, na qual possamos ser e tornar-nos nós mesmos. Por intermédio da comunhão recebemos o alimento emocional que precisamos para crescer como seres humanos.

Sendo o oposto do isolamento, a comunhão significa uma profunda interação: expor-nos às vulnerabilidades dos outros, permitindo que eles penetrem nas nossas áreas mais secretas e cuidadosamente protegidas. Nossa identidade é formada na interação amorosa e sincera com os outros. Nessa interação também crescemos e atingimos nosso tamanho adequado. Adquirimos um senso saudável de proporção, o entendimento do que somos capazes de fazer sozinhos e de quando precisamos da ajuda dos outros. Em outras palavras, a comunhão nos protege do excesso de autossuficiência.

Por que precisaríamos ser protegidos da autossuficiência se em nossa cultura essa qualidade é geralmente considerada uma virtude; na verdade, uma necessidade. Entretanto, estabeleço uma distinção crucial entre a autossuficiência e a responsabilidade pela própria vida. Quando menciono a autossuficiência excessiva ou prejudicial, estou me referindo ao nosso esforço de cuidar completamente de nós mesmos porque somos incapazes de acreditar que tomarão conta de nós. A pessoa exageradamente autossuficiente não aceitou sua fraqueza, de modo que tenta esconder sua vulnerabilidade parecendo sempre ser forte, nunca precisando dos outros. Como essa atitude se baseia na negação da fraqueza, esse tipo de autossuficiência equivale a uma força falsa. A conexão com os outros nos protege dessa impressão equivocada.

Permitir que nossa verdadeira personalidade se manifeste significa expor nosso eu mais profundo não apenas para os outros, como também para nós mesmos. Compreensivelmente, todos temos medo do desconhecido dentro de nós: as nossas memórias e emoções reprimidas. No nosso nascimento psicológico, as partes reprimidas e o potencial oculto da nossa personalidade vêm à tona, revelando a verdade completa a respeito de nós mesmos. Algo totalmente novo emerge, algo frágil e revigorante.

O nascimento psicológico é tão dramático quanto o nascimento físico, no qual o bebê vem ao mundo depois de ter a cabeça e o corpo inteiro comprimidos no canal vaginal. O evento do nascimento é intenso, e a própria sobrevivência do recém-chegado pode estar em risco. Nesse primeiro abraço da vida, só existe uma garantia: o bebê não pode permanecer no útero. Ele precisa deixá-lo e caminhar rumo ao desconhecido.

Esse também é o caso do nascimento psicológico, no qual a pessoa se torna uma personalidade. O nascimento psicológico só pode ter lugar depois que reconhecemos nossa fraqueza, primeiro fazendo contato com nossa vulnerabilidade e desamparo. Essa profunda experiência nos desafia a mudar, novamente oferecendo apenas uma garantia: a de que seremos amados.

As estratégias de sobrevivência dissimulam a falta de amor

Na ausência do amor, especialmente na infância, nossa verdadeira personalidade não pode sobreviver e se desenvolver. O que acontece quando nossa personalidade permanece enterrada? Criamos estratégias de sobrevivência.

Podemos nos identificar tão intensamente com nossas estratégias de sobrevivência que elas se tornam nosso falso eu. Nossa verdadeira identidade permanece oculta de nós enquanto carregamos a falsa identidade conosco para a idade adulta, reagindo às pessoas, eventos e até a nós mesmos através desse eu falso. Vivemos uma vida limitada pelo passado; mais precisamente, limitada pela falta de amor que experimentamos no passado.

O individualismo negativo isola as pessoas

A pessoa que não recebeu o amor que precisava para se desenvolver e alcançar seu verdadeiro potencial fica aprisionada em um cárcere, formado pelas suas necessidades não satisfeitas. Incapaz de perceber os outros como realmente são, ela só vê neles o que eles podem lhe dar. Essa atitude gera o individualismo negativo: como essa pessoa é extremamente carente, ela é incapaz de dar — para si mesma, para seus filhos, para qualquer pessoa. O filho carente pode despertar o ódio de um pai ou uma mãe que precisa daquilo que a criança está pedindo.

O individualismo negativo está se tornando uma epidemia psicológica em nossa cultura. Como o nosso sentimento de comunidade está desmoronando, temos menos chances de estabelecer uma relação com os outros. À medida que vamos ficando mais isolados, o amor de que precisamos tão desesperadamente torna-se ainda mais escasso. Quanto menos amor nós temos, maior se torna nossa insuficiência interior e menos temos para dar aos outros. É por esse motivo que todas as pessoas estão correndo de um lado para o outro em busca da autorrealização, quando, na verdade, estão procurando o amor.

O individualismo negativo é sempre encontrado no medo, na sensação de insegurança e na falta de coragem. Só nos sentimos seguros quando estamos cercados pelo amor; quando perdemos o amor, também perdemos a sensação de segurança. Quando temos amor na nossa vida, aprendemos a contar com os outros. Se essa lição crucial nos é negada, somos obrigados a recorrer ao único apoio com o qual podemos contar: o nosso.

Tudo isso conduz ao isolamento. Se não tivermos tido a oportunidade de experimentar a segurança por intermédio da interação com pessoas amorosas e bem-intencionadas, não confiaremos nos outros. Não permitiremos que qualquer pessoa se aproxime de nós, mesmo que vivamos rodeados por uma multidão. Na realidade, podemos usar a atividade social frenética para fugir da verdadeira intimidade com os outros, cercando-nos de um número tão grande de pessoas que não temos tempo de conhecer nenhuma delas.

O individualismo positivo constrói um sentimento de comunidade

O individualismo negativo não é a única opção que temos para lidar com nossas necessidades insatisfeitas da infância; também podemos escolher o individualismo positivo. Entretanto, esta opção requer a presença do amor na nossa vida adulta. O individualismo positivo nasce quando nossas necessidades mais profundas são satisfeitas, quando passamos a ser vistos e ouvidos como o nosso verdadeiro eu, quando recebemos atenção e somos valorizados, quando alguém nos vê como sendo importantes e deseja ficar perto de nós. Começamos a olhar para nós mesmos da maneira como os outros nos veem agora. Aprendemos a valorizar a nós mesmos e a reconhecer nossos sentimentos e necessidades. Vivemos de acordo com nosso verdadeiro eu, e estamos profundamente conscientes da nossa identidade.

Depois que recebemos tanto amor e atenção de outra pessoa, passamos a ter algo para dar. Não mais precisamos ver as coisas somente a partir do nosso ponto de vista; podemos levar os outros em consideração. Nos tornamos seres humanos que respeitam os outros como o eu separado deles. Não obstante, nada disso é possível enquanto permanecemos limitados pelo individualismo negativo. Enquanto estamos presos nessa atitude mental, somos incapazes de perceber os outros como sujeitos; em vez disso, nós os vemos como objetos. O individualismo positivo se baseia em um sentimento de comunidade e interdependência; o individualismo negativo se apoia somente em estratégias de sobrevivência. Enquanto o último é criado para sobreviver à ausência do amor, o primeiro nasce do amor.

Deus é amor

Qual é a origem do amor? Por que dependemos do amor? Por que precisamos do amor e por que temos que prestar tanta atenção às nossas necessidades? Se a falta de amor conduz à resistência e à força, o que há de errado com isso? Essas não são qualidades boas e proveitosas?

Deus é amor. Deus criou o universo. Se estas duas afirmações são verdadeiras, elas constituem a essência da realidade: o universo é a expressão de uma vontade amorosa. A vida não é uma simples coincidência ou um capricho peculiar no espaço vazio. O mundo não é governado pelo caos, e a vida não é inexpressiva; em vez disso, ela contém significado. Se o universo é, com efeito, a expressão de uma vontade amorosa, isso significa que Deus ama o que Ele cria. Em outras palavras, Deus ama a nós e o mundo onde vivemos, o que torna o amor o poder da criação e o princípio mais profundo por trás de todas as formas de vida.

Nossa necessidade de amor é uma indicação da nossa busca da verdade a respeito de nós mesmos e do mundo. Quando procuramos o amor, estamos buscando a verdadeira natureza e estrutura do nosso ser. E quando encontramos o amor, encontramos a paz interior.

Deus não é um fato distante, inacessível e absoluto. Deus é a corrente de amor no universo. Ele não existe simplesmente. Ele acontece. Deus é dinâmico, está em constante movimento e envolvido no processo da criação.

É impossível compreender com o nosso intelecto esse fluxo místico de amor. Ele pode ser comparado a um reator nuclear cósmico que canaliza o poder da criação para o universo. Ele é um dínamo cósmico, um poder que mantém coesas vastas galáxias e dá origem e sustenta o movimento no núcleo microscópico de um átomo. Ele é a gigantesca pulsação do universo e também faz bater o coração humano. Temos dentro de nós uma indicação desse poder impressionante, que nos chama para viver em harmonia com ele.

Toda a verdadeira existência da humanidade está relacionada com a existência de Deus. Deus não é simplesmente um princípio ou poder; Ele é uma personalidade. Assim, o manancial de poder no âmago do universo é um *poder pessoal*. Na condição de seres humanos, também somos personalidades e, portanto, intrinsecamente iguais a Deus. O conceito da personalidade tem origem em Deus. A humanidade não o inventou; nós não criamos o conceito e depois o projetamos em Deus. Os seres humanos são personalidades porque Deus é uma personalidade. Só encontramos nossa natureza mais profunda depois que enfrentamos o poder que nos criou. Somente nesse amor podemos nascer como personalidades.

O Espírito Santo dá à luz nossa personalidade

Toda essa conversa a respeito de Deus e da corrente do amor encerra um significado prático ou trata-se apenas de reflexões teológicas? Para descobrir, precisamos examinar a pergunta "Quem ou o que é o Espírito Santo?".

O Espírito Santo é frequentemente mencionado em associação a diferentes fenômenos carismáticos ou extáticos. Entre eles encontramos a glossolalia, as profecias, as curas místicas ou divinas e assim por diante.

Nas assembleias evangélicas emocionalmente carregadas, quando membros de plateia com dor são prostrados pelo toque de um agente de cura, o ocorrido é frequentemente descrito como obra do Espírito Santo. Essa é uma afirmação questionável. Essas assembleias oferecem um escoadouro para muitos tipos de dor emocional; embora a descarga da energia emocional reprimida seja inegavelmente poderosa, ela não deve ser indiscriminadamente aceita como obra do Espírito Santo. Essas pessoas não foram necessariamente tocadas pelo Espírito Santo; é mais provável que estejam aprisionadas nas dores do passado. Não vamos analisar com mais detalhes esses fenômenos neste contexto, pois eles exigem um fórum próprio. Em vez disso, vamos examinar outros aspectos do Espírito Santo, aspectos que com frequência passam despercebidos, mas são mais essenciais.

O amor volta a se manifestar por meio do Espírito Santo: agora, em uma pessoa particular. O amor se torna real para nós. Isso não significa meramente entender o conceito do amor; significa experimentar o amor, sabendo com a totalidade do nosso ser que somos amados. Por intermédio do Espírito Santo, o amor torna-se relevante e vivo, tocando-nos de forma tangível. Quando sentimos que somos amados, temos coragem de ser mais vulneráveis e tornar-nos o que somos mais profundamente. Por conseguinte, todo o crescimento humano é na realidade obra do Espírito Santo. Tocados por esse amor, começamos a viver em vez de apenas sobreviver.

A verdadeira glossolalia envolve falar a linguagem do amor

Podemos perguntar: "O amor tem algum valor prático para a humanidade?" Nada é mais prático na nossa vida diária do que a necessidade do amor. Todo ser humano anseia por amor. As crianças o buscam nos pais, os cônjuges, um no outro, os amigos, uns nos outros, os pacientes, nos médicos, os clientes, nos terapeutas, os paroquianos, nos pastores. Até mesmo as prostitutas são procuradas por causa do amor. É uma sede universal.

Quando revelamos nossa verdadeira responsabilidade, começamos a falar a linguagem do amor. O amor comunica um profundo respeito pela singularidade da outra pessoa, a liberdade de ser quem ela realmente é e o nosso desejo do que há de melhor para ela. Com a ajuda dessa linguagem, oferecemos apoio um ao outro, e também o recebemos em troca. Quanto mais nos tornamos nosso verdadeiro eu, mais amor somos capazes de receber. Quanto mais amor somos capazes de receber, mais profundamente somos capazes de amar.

Como Deus é a origem do amor, experimentamos algo de Deus quando somos tocados pelo amor. Fazer amor com nosso cônjuge é experimentar o amor de Deus. Sentimos o amor de Deus no cuidado e no calor das mãos de um massagista habilidoso. Quando somos vistos e ouvidos na terapia, sentimos o amor de Deus. Captamos um vislumbre do amor de Deus no cumprimento alegre de um vizinho. Cada interação genuína fala a linguagem do amor e, por conseguinte, fortalece nossa personalidade.

Essa linguagem do amor é transmitida de uma forma não-verbal; ela consiste mais em ser amoroso do que em dizer alguma coisa. Frequentemente, colocar a linguagem do amor em palavras pode matá-lo. Um dos piores erros que um terapeuta ou orientador psicológico pode cometer é se interessar mais em impor suas convicções teóricas ou religiosas a um paciente do que em se encontrar com o paciente em uma interação amorosa e verdadeira. Quando crescemos espiritualmente, aprendemos a reconhecer a origem do amor; não precisamos que nos expliquem como ele é.

O amor é sempre verdadeiro

O amor e a verdade estão associados; nunca aparecem separadamente. Sem amor, a "verdade" é na realidade crueldade. Confrontar uma pessoa diretamente com "a verdade" prejudica e destrói; essa abordagem nunca é construtiva. Dizer a verdade sempre envolve a preocupação com o outro. Quando combinamos o amor com a verdade, podemos condenar as transgressões de uma pessoa, mas esta permanece segura de que é amada.

Essa também é a diferença entre a vergonha e a culpa. O sentimento de culpa indica que cometemos um erro; quando as transgressões são confessadas, o perdão tem lugar. Não perdemos nossa dignidade humana no processo. Quando sentimos vergonha, não apenas sentimos que cometemos um erro, mas também que *estamos* errados, carentes de qualquer dignidade humana. A vergonha, um resultado da falta de amor, procura prejudicar e destruir nossa personalidade, ao passo que o amor busca fortalecê-la. O amor nos compreende, mas condena o mal que existe em nós. O amor entende os assassinos, os estupradores, os torturadores e os ladrões, mas se esforça para abrir os olhos deles para o mal que existe dentro de si. Isso é a verdade com amor. Quando o amor abre nossos olhos para nossos atos nocivos, nos sentimos culpados. Quando nos conscientizamos dessa culpa, sentimos a necessidade da compaixão, que é uma necessidade de amor. Nosso desejo é proteger-nos para não sermos julgados.

O amor nos induz a continuar a descobrir a verdade a respeito de nós mesmos. Quanto mais amor recebemos, mais capazes somos de lidar com nossa imperfeição e incompletude — com o mal que reside dentro de nós.

O amor e a verdade são dádivas do Espírito Santo, o Espírito da Verdade. A verdade revela a falsidade que existe em nós, nossos pecados, removendo qualquer insinceridade ou medo que nos impeça de dar à luz nossa verdadeira personalidade. Esse tipo de verdade nunca nos prejudica ou insulta. Pode doer, mas com o propósito supremo de curar nosso ser.

O amor desperta feridas

A pessoa que nunca recebeu amor não conhece o que jamais experimentou. A falta de amor tornou-se um estado normal de existência para ela. Ela não reflete sobre esse estado, aceitando-o como sendo natural.

Mas, quando encontra o amor genuíno, essa pessoa reconhece a ausência de amor com a qual sempre conviveu. O amor forma um novo pano de fundo, contra o qual essa falta de amor é revelada. Desse modo, o amor magoa a pessoa que foi forçada a passar sem ele. Sabendo disso, podemos entender por que muitas pessoas que abrigam feridas internas afastam as investidas amorosas dos outros quando eles se aproximam demais.

O amor recente desperta a conscientização aguda da ausência prévia do amor, tanto da falta do amor à qual a pessoa pode ter sido submetida quanto da que ela pode ter causado. Quando encontramos o verdadeiro amor — por exemplo, em um relacionamento ou na terapia —, reparamos que o que era chamado de amor na nossa infância não era amor, afinal de contas, e sim algo mais parecido com crueldade disfarçada de amor. Este agora revela como tivemos que carregar, frequentemente como vergonha, tudo o que nossos pais deixaram sem solução. Como foi mencionado, quando os pais não resolveram sua própria dor e os assuntos inacabados, eles passam para os filhos sua incapacidade de amar. Esse legado destrói o instinto de cada geração de se tornar seu eu verdadeiro e autêntico. Quando o amor finalmente aparece, ele desperta a pessoa para seu direito de ser inteira e exclusiva.

Nossas feridas se tornam nossos pontos de contato

As feridas interiores, uma vez reveladas, aproximam mais as pessoas porque conduzem a uma interação sincera e aberta. Nossa dor forma um verdadeiro ponto de compartilhamento entre as pessoas. Somente reconhecendo nossa fraqueza mútua podemos nos aproximar dos outros.

Como foi mencionado, a força não traz à tona nem o afeto nem a compaixão. A força é respeitada, temida e até invejada, mas não é amada. No entanto, é fácil amar a fraqueza. Ela é completamente humana; reside na nossa verdadeira identidade. O fato de que a fraqueza nos torna vulneráveis é um dos nossos segredos mais bem guardados. Quando percebemos a fraqueza de alguém, nos identificamos com ela; reconhecemos nossa própria fraqueza, bem como nossa condição humana. Esse é o poder dos irresistíveis personagens fictícios dos filmes ou dos livros: vemos a nós mesmos na sua fraqueza e vulnerabilidade, nas suas feridas reveladas.

É claro que existem aqueles em quem a natureza humana de outra pessoa infunde desprezo. Essas pessoas ainda não estão prontas para enfrentar sua fraqueza humana. Elas fogem, agarrando-se à ilusão de que são perfeitas. Percebem a fraqueza dos outros como uma ameaça, um lembrete das suas próprias deficiências. Essas pessoas não conseguem reagir com compaixão à fraqueza de outra; em vez disso, tentam tirar proveito dela. Existem boas razões para que tomemos cuidado com as pessoas que não possuem a verdadeira capacidade de intimidade e de uma interação sincera. Não existem bons motivos para bancar o cordeiro entre uma alcateia de lobos.

O amor elimina o medo

O medo é sempre companheiro da falta de amor. Como foi mencionado, o medo surge da insegurança crônica. Ele nasce quando um ser humano não pode se unir a outros como membro de uma comunidade amorosa e segura. Preocupações e tristeza ocupam a vida da pessoa que não ousa, ou não sabe como, compartilhar seus problemas e preocupações com os outros.

É fundamental que as pessoas temerosas sejam capazes de falar e ser ouvidas, porque isso possibilita que algo maravilhoso aconteça. Quando falamos sobre nossas preocupações e alguém nos escuta e fica realmente presente, nosso fardo fica mais leve. Apenas falar sobre uma situação pode não necessariamente mudá-la externamente, mas nossa atitude diante dela muda. Recobramos nosso sentimento de proporção; encaramos nossa situação como não sendo tão irremediável. Deixamos de ficar paralisados pelos nossos problemas, e passamos a vê-los como passíveis de ter uma solução. Nossa conexão com outra pessoa supera nosso medo e nosso isolamento.

Quando sabemos como é receber apoio e amor, temos coragem de ser independentes. Este é nosso sétimo paradoxo: *Só podemos estar sozinhos se estivermos juntos.* Toleramos nosso isolamento, enfrentando nossos problemas e assumindo a responsabilidade pela nossa vida. Obtemos essa capacidade depois de ter recebido amor e aprendido a nos unir aos outros sem agarrar-nos a eles ou depender excessivamente deles.

CAPÍTULO 8

Se você busca a eternidade, viva o aqui e agora

Ao longo dos tempos parece que nós, humanos, abrigamos um desejo por algo além desta vida. Sempre nutrimos um anseio por algo melhor, maior, mais perfeito e mais permanente, e nunca ficamos satisfeitos com a ideia de que a morte marca o fim de tudo, inclusive da nossa identidade.

Dizem que as religiões existem porque nós morremos. A morte é a grande advertência, o que nos sacode. Um dia deixaremos de existir; um dia nos tornaremos aquilo sobre o que antes caminhamos: pó.

O que restará de nós depois que isso acontecer? Restará alguma coisa? O que acontece à nossa identidade quando nosso corpo se transforma em pó? Ela continuará a viver na nossa alma? Ou nos dissolveremos em átomos depois de ter sentido, pensado, necessitado, dado e recebido, amado e odiado, escrito poemas, composto músicas, nos admirado, temido e ousado, sonhado e realizado nossos sonhos aqui na Terra? Aqueles que percorrem esta

Terra desaparecerão sem deixar vestígios depois de terem vivido uma vida de alegrias e tristezas? Deixaremos apenas lembranças? Se for o caso, conseguiríamos imaginar algo mais cruel? Quem poderia ser tão diabólico a ponto de criar todos esses seres maravilhosos apenas para vê-los depois transformarem-se em pó? É difícil imaginar maior falta de amor.

Existe então um Deus? Se Ele existe, poderemos encontrar algo maior do que a morte, porque Deus consiste essencialmente na morte.

Mas Deus também consiste no amor: se Deus não ama, Ele poderia muito bem deixar a morte ser o fim de tudo, embora seja onipotente em Seu poder. Mas isso O tornaria um poder devastador, que permite que nossa identidade seja destruída, em vez de um poder preservador. Isso tornaria Deus mau e não amoroso.

Mas se Deus é amor, como enfatizamos, então nossa vida tem um propósito: a oportunidade de encontrar uma vida significativa nos é apresentada, e, portanto, a maneira como vivemos nossa vida faz diferença. Podemos encontrar um rumo, e podemos viver nossa vida com a consciência de estar sendo carregados e guiados pelo amor.

Por mais que tentemos arduamente, o sagrado não nos deixará sozinhos

Vivemos em uma cultura extremamente secular, na qual o comercial parece ter substituído o sagrado: consumir tornou-se maior do que a vida. Insidiosamente, os bens materiais transformaram-se na essência da vida: nós somos o que possuímos. Consumir tornou-se um ato sagrado. As lojas e os shoppings, nossos templos modernos, precisam, portanto, abrir todos os dias, até mesmo aos domingos.

O que acontece quando nada é reverenciado como sagrado? Excluímos para sempre o sagrado da nossa vida? Derrubamos todos os valores nos quais as gerações passadas baseavam sua cultura, os valores que conferiam à sua vida diária um ritmo e um sentimento de propósito? Conseguimos deslocar completamente nossa ênfase para "todas essas coisas" e silenciar as perguntas e as ilusões perturbadoras a respeito do além? Se examinarmos a superfície da nossa vida moderna, este certamente parece ser o caso.

Nós, humanos, sempre ansiamos por algo maior do que nós mesmos. Desde que temos consciência, buscamos algo além da morte, canalizando esse anseio para a religião, a arte, o misticismo e a comunhão com a natureza. Sempre tentamos alcançar os céus e a origem da vida, e vencer a morte.

Ainda alimentamos esse desejo? Ou os carros, a televisão, as máquinas caseiras de café expresso, os celulares com câmera e as churrasqueiras a gás satisfizeram tão profundamente nosso anseio que encontramos a paz interior? Quando olhamos em volta, o oposto parece ser verdadeiro. O descanso tornou-se agitação. O silêncio, preocupação. A presença e a quietude se transformaram em uma pressa constante e em uma falta de tempo crônica. Parecemos estar correndo cada vez mais rápido, e não temos tempo de parar e nos perguntar para onde estamos correndo, e por quê.

Estamos correndo porque perdemos a conexão com as profundezas do nosso ser, com nossa verdadeira identidade e nosso objetivo na vida. E, portanto, corremos: a vida parece ter se afastado de nós, e precisamos persegui-la. Ao fazer isso, tentamos capturar qualquer coisa que se pareça com a vida, mesmo que remotamente: experiências, diversão, quanto mais, melhor. No entanto, quanto mais depressa corremos, mais a vida parece se afastar de nós; é como se estendêssemos a mão em um nevoeiro, tentando vigorosamente agarrar qualquer coisa ao acaso. Quanto mais a vida se afasta de nós, mais rápido temos que correr, de modo que perseguimos aquilo de que estamos fugindo: nosso eu autêntico, nosso propósito. Mas não precisamos capturar a vida; poderíamos simplesmente deixar que ela nos alcançasse — se ao menos conseguíssemos parar.

Isso significa que perdemos para sempre o contato com nosso eu interior e nossas conexões mais profundas? Essa perda entorpeceu nosso sentimento do sagrado? Estas perguntas me ocorreram há algum tempo, durante um serviço religioso.

A igreja estava repleta naquele domingo. Muitas das pessoas presentes não costumavam frequentar a igreja, mas compareceram naquele dia para celebrar a crisma dos filhos. Antes do serviço, o padre mencionou que não era permitido tirar fotos na área do altar durante a Eucaristia e a crisma. Ele precisou enfatizar isso para uma igreja cheia de adultos; aparentemente — e espantosamente — essa regra não fora respeitada em ocasiões anteriores. Quando o serviço começou, ficou claro que muitos membros da congregação não iriam respeitar a advertência e estar presentes durante a majestosa celebração; eles continuavam a ajustar as máquinas fotográficas e as câmeras de vídeo. Em vez de tentarem ficar quietos e sentir a atmosfera solene, tentavam captá-la em vídeo, aparentemente para assistir depois. Eles não podiam se permitir ser tocados pelo sagrado; em vez disso, tentavam controlá-lo. Durante todo o cerimonial, celulares tocavam, e pessoas batiam papo. A atmosfera geral na igreja era de agitação.

Isso me fez perguntar aos meus botões por que precisamos ser expressamente lembrados de que uma coisa é sagrada e que, portanto, não devemos perturbá-la ou interrompê-la. Será que abandonamos o sagrado para ocupar-nos de necessidades mais mundanas? Não, isso não aconteceu: nossa capacidade de sentir e ansiar pelo sagrado continua a viver em nossa inquietude, nossa ansiedade, angústia, exaustão e confusão. Nossa ânsia do sagrado continua a viver em nosso mal-estar, e quanto mais nos distanciamos do sagrado, pior nos sentimos. Desse modo, nossa doença cultural é, na verdade, um sinal de saúde: nossa esperança reside em nossa desesperança.

Qual o significado do período entre o nascimento e a morte?

Todo mundo que presenciou a morte de um ente querido sabe que testemunhou algo sagrado. A presença da morte nunca nos deixa impassíveis; pode nos chocar ou nos fazer ficar em silêncio, mas sempre deixa uma marca em nossa alma. O mesmo se aplica ao nascimento: ter um recém-nascido nos braços é como segurar um milagre; podemos sentir uma santidade inexplicável e vislumbres de eternidade. Todos os vestígios de ceticismo desaparecem quando nos vemos diante de um milagre.

Se estivermos presentes no momento da morte ou do nascimento de um ente querido, sentiremos por um breve período uma abertura entre o aqui e o além; por um instante, sentiremos a presença de algo maior do que esta vida.

Que significado atribuímos à vida, ao período entre o nascimento e a morte? O significado depende de como vivemos nossa vida. Ficamos de tal modo absorvidos em nosso conceito de tempo que perdemos a noção da transitoriedade da vida? Ou conservamos um sentimento de eternidade, reconhecendo que nos encontramos em uma jornada em direção a algum lugar além deste tempo? Esse sentimento de eternidade é um sentimento de graça, a consciência de que a vida é uma dádiva e não algo que podemos conquistar ou exigir. Recebemos essa dádiva porque somos amados.

Mas como podemos manter esse sentimento de eternidade, essa atitude de assombro e admiração? Como podemos evitar o ceticismo e a indiferença desgastada? Como podemos aprender a não encarar a vida como uma coisa corriqueira? Até onde consigo perceber, a fé cristã tem respostas para estas perguntas; a fé cristã contém algo que devemos ouvir caso tenhamos perdido a capacidade de admirar-nos e decidido gerenciar, nós mesmos, o tempo. Em essência, o cristianismo envia uma mensagem a respeito do que aconteceu quando o tempo foi colocado em um novo e surpreendente contexto, o amor eterno de Deus.

O amor é a fonte de toda sabedoria paradoxal

O amor é a resposta de Deus ao nosso apelo inexaurível por algo além desta vida, uma resposta amorosa ao anseio pela eternidade que a espécie humana abriga ao longo das eras.

Como não somos capazes de alcançar Deus por intermédio do nosso esforço, Deus vem ao nosso encontro; nosso papel é aceitar o que nos é agora oferecido. O que importa não é nossa luta, e sim nossa abertura e receptividade.

Mas o que é essa receptividade? É a fé. A fé é o canal para o ingresso do amor em nosso tempo, na vida diária; nem mesmo Jesus era capaz de fazer milagres quando cercado pela descrença. Os milagres não acontecem na ausência da fé; sem ela, ficamos à mercê dos nossos recursos ou da falta deles. Sem fé, não existe o sentimento de eternidade, uma realidade além desta vida; somos deixados com as leis do tempo. Sem fé, há apenas o amor aleatório, circunstancial, do tipo humano, que pode ser difícil de encontrar. Não existe nenhum significado ou propósito maior, somente o que é humanamente razoável.

A mensagem essencial do cristianismo é que somos amados. Deus nos ama. Este é um fato aterrorizante, pois se é verdade que essa Pessoa amorosa realmente existe, precisamos enfrentar toda a inverdade que ainda existe porque não recebemos o amor que sempre esteve presente para nós. Mas antes de poder avaliar o que é verdade e o que não é, precisamos, primeiro, descobrir o que é verdadeiro dentro de nós. Precisamos, portanto, enfrentar toda a nossa vida — nossa realidade psicológica, nossa história. Precisamos ter coragem de enfrentar nossos segredos, um depois do outro.

Todos nós experimentamos uma falta de amor, tanto na idade adulta quanto na infância. A infância perfeita não existe, porque não existem pais perfeitos; os pais perfeitos não existem porque não existem pessoas perfeitas; há apenas pessoas incompletas e imperfeitas.

Devido a essa falta de amor, todos sentimos dificuldade em ter fé, porque ter fé significa acreditar no amor. Precisamos dessa fé para acreditar que o amor é o maior poder na vida, que esse Grande Poder se deu ao trabalho de tornar-se carne e osso e trazer para nós a mensagem do amor. Esse amor está dentro de nós; podemos encontrar dentro de nós o que é mais importante na vida.

O amor está dentro de nós

O amor de Deus modifica tudo o que conhecíamos, vira tudo de cabeça para baixo. Desse modo, nossa capacidade de ficar confusos e perdidos torna-se mais valiosa do que as respostas prontas e certas. A capacidade de admirarnos associa-se agora à nossa incapacidade de salvar a nós mesmos. O amor faz da nossa jornada nosso destino. A vida envolve um movimento, desenvolvimento, mudança e renúncia dinâmicos e intermináveis, o abandono do velho para abrir lugar para o novo.

Aprendemos que a força não reside em controlar os outros; o verdadeiro poder pode ser encontrado na fraqueza e no serviço aos outros. Encontramos nossa força quando humildemente reconhecemos e revelamos nossa fraqueza.

O amor de Deus também significa que a fé torna-se mais importante do que a religião; se a religião é basicamente uma maneira segura que nos permite alcançar o bem, então a religião torna-se inútil, sendo, na realidade, um obstáculo à fé. A religião é a fé mal compreendida, um esforço desesperado de conquistar o bem. Esse tipo de religiosidade é o maior inimigo do amor: afinal de contas, os bons e os irrepreensíveis eram os que mais se sentiam ameaçados por Jesus, e foram eles que o pregaram na cruz. Mas o amor acaba com nossos esforços inúteis para salvar a nós mesmos; em vez disso, ele nos oferece a dádiva da salvação.

O amor espera pacientemente

Por causa do amor, nossas lutas perderam o poder; nenhum esforço ou realização conquistarão para nós uma vida de qualidade. Só poderemos encontrar uma vida de qualidade se pararmos e reconhecermos nossa fraqueza e fragilidade. O crescimento não consiste em tornar-nos melhores; ele se refere a tornar-nos mais humanos, mais abertos e mais receptivos ao amor. Nosso bem não é *nosso* bem; é um bem que nos foi concedido, e não podemos conquistá-lo por meio do nosso esforço.

Devido ao amor, nossa verdadeira força não reside em nossa pressa e em nossa eterna necessidade de ter um bom desempenho, e sim na capacidade de confiar em silêncio, na capacidade de relaxar. Esta torna-se a base da nossa eficiência.

Para ter uma vida de qualidade, não precisamos tornar-nos religiosos, moralistas, impecáveis ou agir de outras maneiras contra nossa natureza mais profunda. Precisamos apenas ficar abertos e receptivos à realidade de que somos amados.

Deus ama, Deus chama, Deus espera pacientemente.

Jesus não poderia ter descido da cruz, embora isso lhe tenha sido zombeteiramente pedido. Ele demonstrou, na cruz, a verdadeira essência do amor: o amor diante de uma aparente derrota. Mas essa suposta derrota conduziu à maior das vitórias: esse amor assentou o fundamento do cristianismo, um movimento que mudou a história da humanidade, um movimento cujo propósito e poder supremos ainda estão para ser vislumbrados.

Se você busca um sentimento de eternidade, uma realidade além desta vida, viva onde a eternidade está presente. Viva no tempo; viva no aqui e agora. Viva no amor.

O AUTOR

Tommy Hellsten é psicoterapeuta com mais de 30 anos de experiência, cujos livros venderam mais de 400 mil cópias na Europa. Na Finlândia, seu país de origem, é frequentemente chamado de "o terapeuta mais importante do país".

Um dos pioneiros no tratamento de problemas emocionais relacionados à codependência e à toxicomania, Hellsten promoveu o desenvolvimento da rede nacional de grupos de autoajuda para filhos adultos de alcoólatras na Finlândia. Seu primeiro livro, *Hippo in the Living Room,* introduziu o conceito de codependência na Finlândia, em 1991. As vendas de *Hippo in the Living Room* bateram o recorde anterior de livros de autoajuda; a obra continua a ser impressa até hoje.

O trabalho de Hellsten como orientador psicológico, escritor, orador e consultor se baseia em uma síntese do pensamento psicológico, do cristianismo e do programa de 12 passos. Acima de tudo, no entanto, ele recorre à sua experiência de vida. Hellsten considera seu treinamento na organização Hazelden, em Minnesota, e na Caron Foundation, na Pensilvânia, como as influências mais significativas em sua vida profissional.

Hellsten é mestre em teologia pela Universidade de Helsinki. É casado e tem três filhos adultos de um relacionamento anterior. Além de exercer ativamente em seu consultório a profissão de psicoterapeuta, ele criou um programa de treinamento de quatro anos para ensinar profissionais das áreas voltadas para o bem-estar dos clientes a tratá-los como pessoas e não como pacientes.

Este livro foi composto na tipologia Minion-Regular,
em corpo 12/15,2, impresso em papel off white 80g/m²
no Sistema Cameron da Divisão Gráfica
da Distribuidora Record.